W9-BZC-545

义务教育教科书

数学

三年级

下册

人民教育出版社 课程教材研究所
小学数学课程教材研究开发中心 编著

人民教育出版社
·北京·

主　　编：卢　江　杨　刚
副 主 编：王永春　陶雪鹤

主要编写人员：袁玉霞　曹培英　陶雪鹤　王永春　丁国忠
　　　　　　　张　华　周小川　熊　华　刘　丽　刘福林
责任编辑：周小川
美术编辑：郑文娟

封面设计：吕　旻　郑文娟
版式设计：北京吴勇设计工作室
插　　图：北京吴勇设计工作室（含封面）

义务教育教科书
数学
三年级　下册
人民教育出版社　课程教材研究所
小学数学课程教材研究开发中心　编著
*
人民教育出版社 出版
（联系地址：北京市海淀区中关村南大街17号院1号楼　邮编：100081）
网址：http://www.pep.com.cn
广东教材出版中心重印
广东省新华书店发行
江门市教育印刷厂有限公司印装
*
开本：787毫米×1092毫米　1/16　印张：7.5　字数：150 000
2014 年 10 月第 1 版　2016 年 11 月第 5 次印刷
印数：2,037,601–2,287,600 册（2017 春）
ISBN 978-7-107-29390-0　定价：7.19 元
批准文号：粤发改价格[2017]18号　举报电话：12358

地址：广州市水荫路11号　邮编：510075　联系电话：020-37606563

编者的话

亲爱的小朋友：

数学就在我们身边，我们总会遇到她。

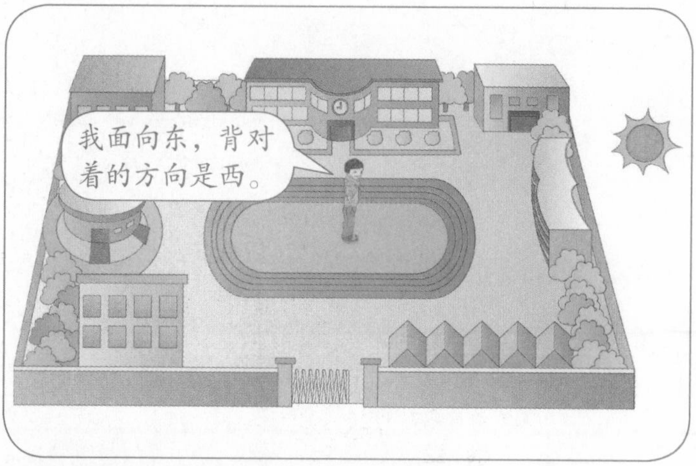

让我们一起动手动脑，和数学成为好朋友吧！

编者

2013 年 5 月

目　录

1 位置与方向（一） 2

2 除数是一位数的除法 11

3 复式统计表 36

4 两位数乘两位数 41

5 面积 60

6 年、月、日 76

★ 制作活动日历 90

7 小数的初步认识 91

8 数学广角——搭配（二） 101

★ 我们的校园 106

9 总复习 108

1 位置与方向（一）

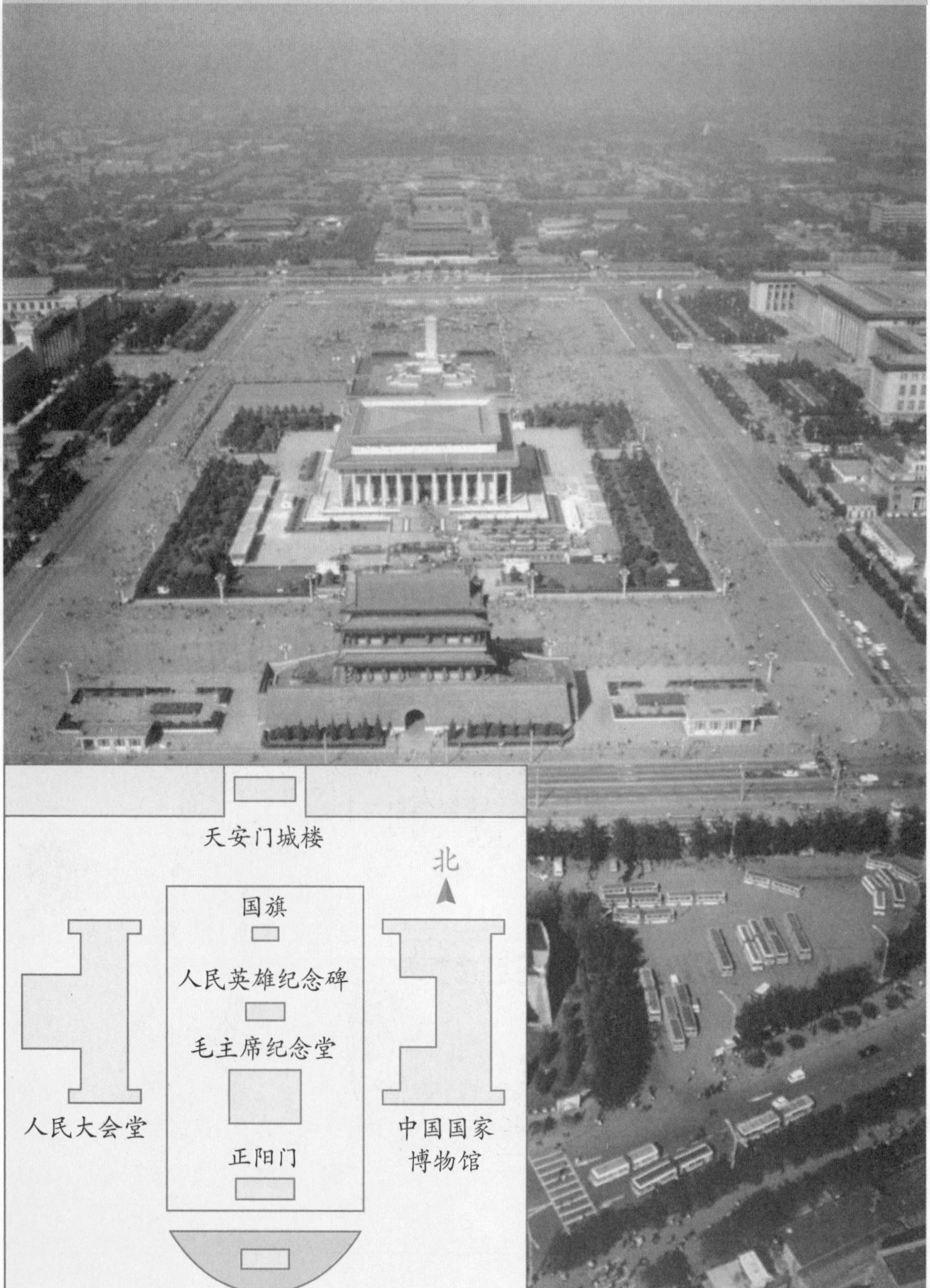
天安门城楼
北
国旗
人民英雄纪念碑
毛主席纪念堂
人民大会堂
中国国家
博物馆
正阳门

1 早晨，太阳在东方。

图书馆在校园的东面，体育馆在校园的 ______ 面。
教学楼在校园的 ______ 面，大门在校园的 ______ 面。

做一做

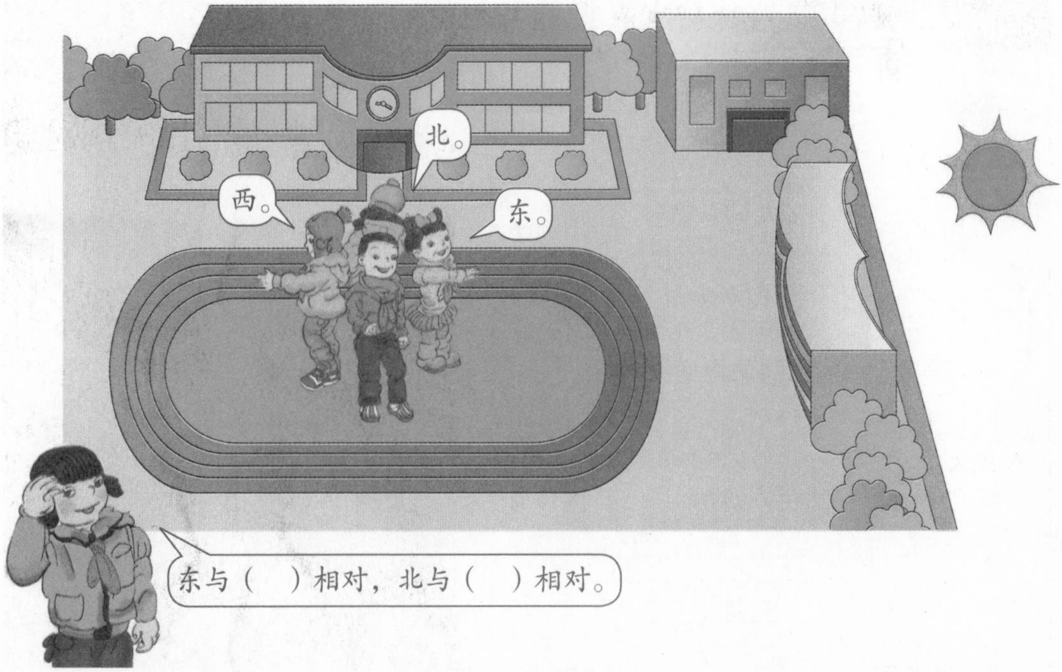

2 下面是我们学校的示意图。

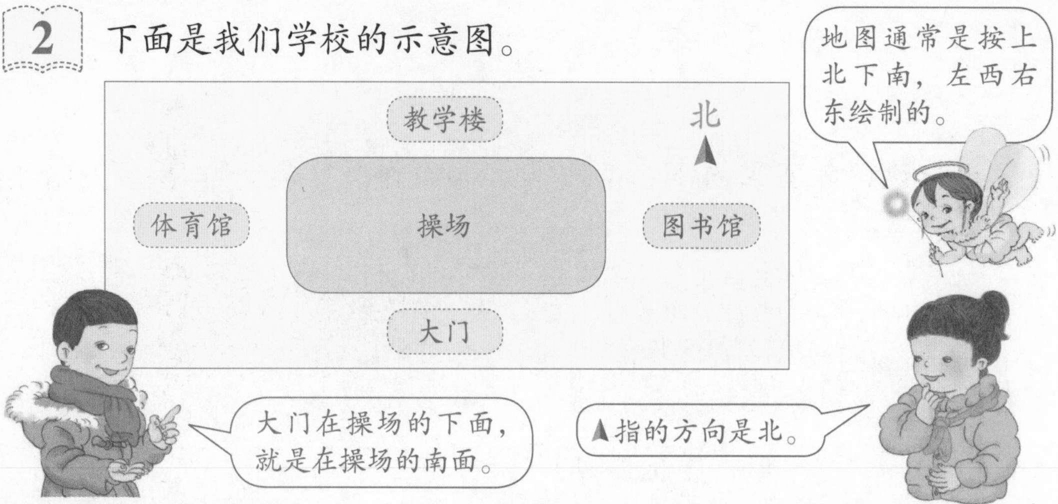

地图通常是按上北下南，左西右东绘制的。
教学楼
北
体育馆
操场
图书馆
大门
大门在操场的下面，就是在操场的南面。
▲指的方向是北。

教学楼在操场的（　　）面，体育馆在操场的（　　）面。
操场在图书馆的（　　）面，图书馆在体育馆的（　　）面。
教学楼在大门的（　　）面，大门在教学楼的（　　）面。

做一做

根据下面的描述标明天安门地区示意图中的建筑物。

（1）天安门城楼在国旗的北面。
（2）人民大会堂在人民英雄纪念碑的西面。
（3）中国国家博物馆在人民英雄纪念碑的东面。

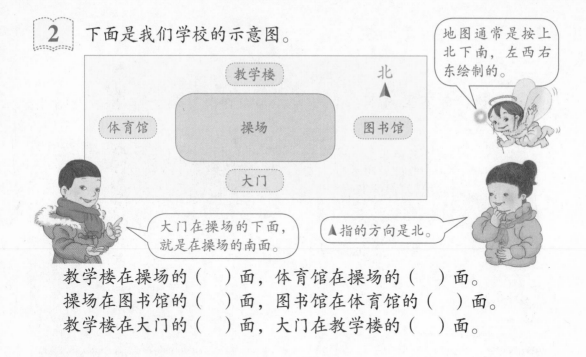

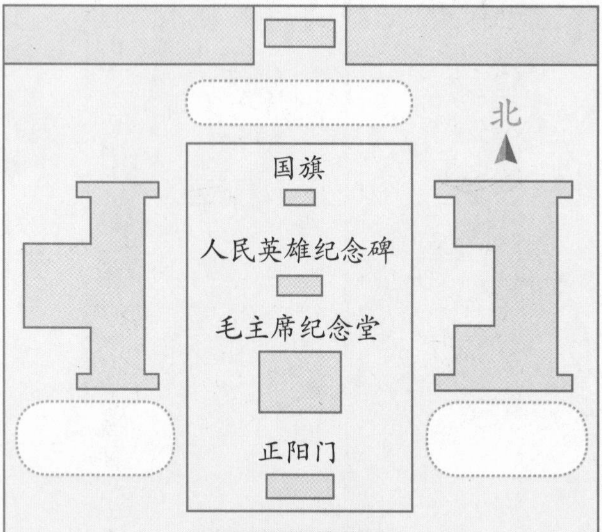

练 习 一

1. 说一说，教室里的东、南、西、北面各有什么。

2. 

像这样说一说，你的房间是怎样布置的。

3. 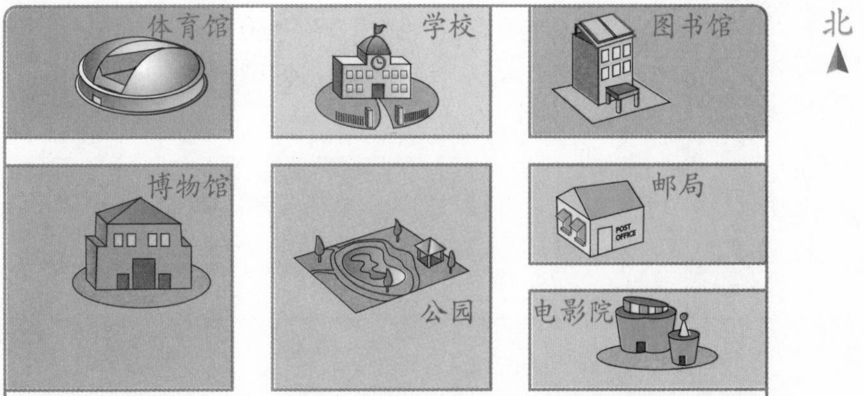

（1）邮局在公园的（　　）面，学校在公园的（　　）面。
（2）小娟家在学校的（　　）面，小娟家在小峰家的（　　）面。
（3）体育馆在博物馆的（　　）面，体育馆在学校的（　　）面。

4.

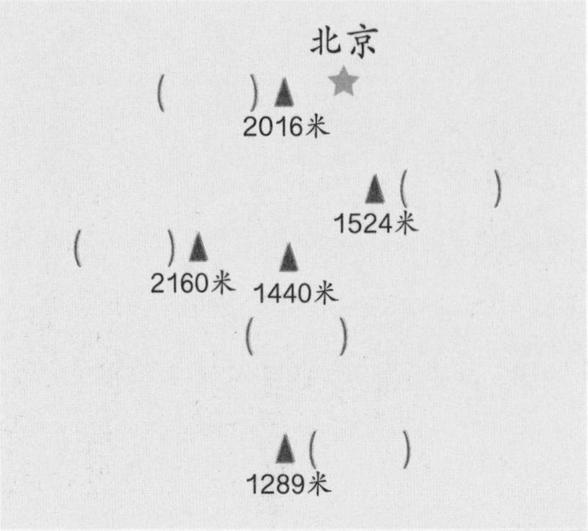

我国有五座名山，合称“五岳”。它们分别是中岳嵩山、东岳泰山、南岳衡山、西岳华山、北岳恒山。

你能在图上找到它们吗?

5. 想一想，填一填你们学校周围有什么。

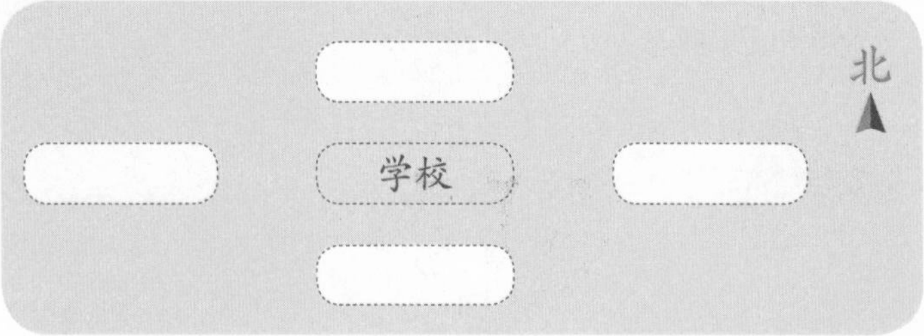

6. 小兔、小羊、小马和小狗要搬进下面的新家了。请你给它们安排好房间，并说一说它们分别住在小鹿家的什么方向。

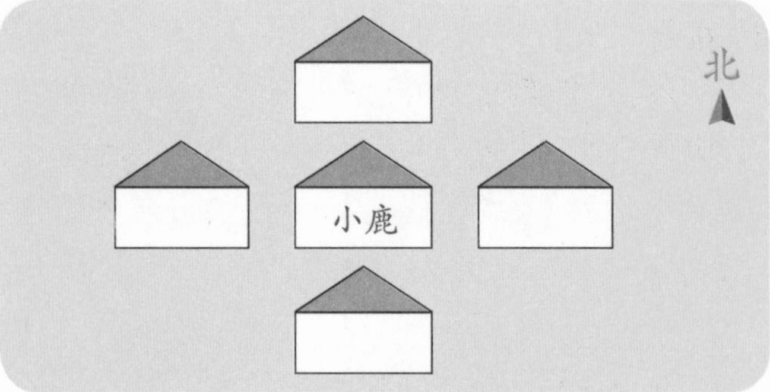

◎ 你知道吗? ◎

指南针是用来指示方向的。早在二千多年前，我们的祖先就用磁石制作了指示方向的仪器——司南，后来又发明了罗盘。指南针是我国古代四大发明之一。

司南

古代罗盘

指南针

3

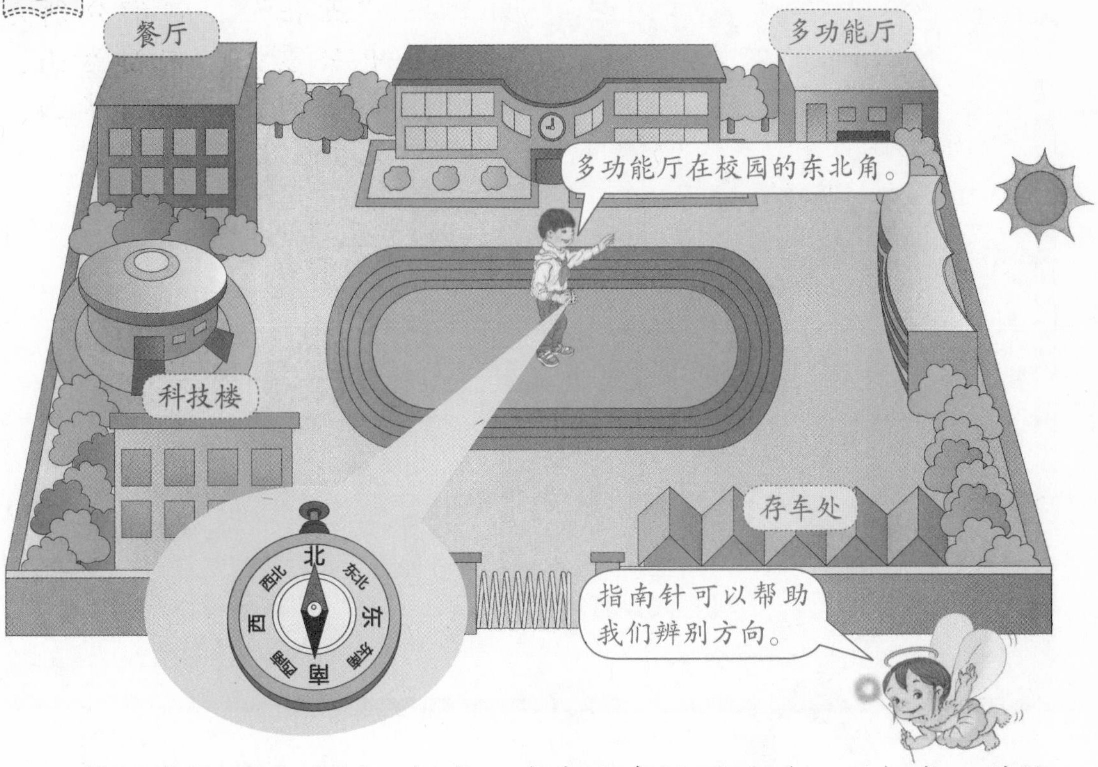

餐厅在校园的（　　）角，存车处在校园的（　　）角，科技楼在校园的（　　）角。

餐厅在存车处的（　　）方向，科技楼在多功能厅的（　　）方向，多功能厅在科技楼的（　　）方向。

做一做

在黑板上标出自己家的位置，并说一说自己家在学校的什么方向。

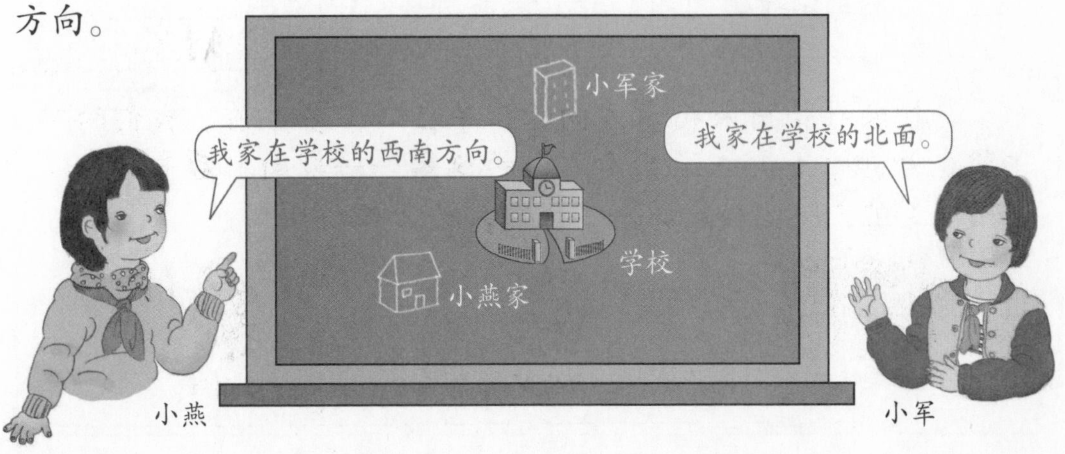

4

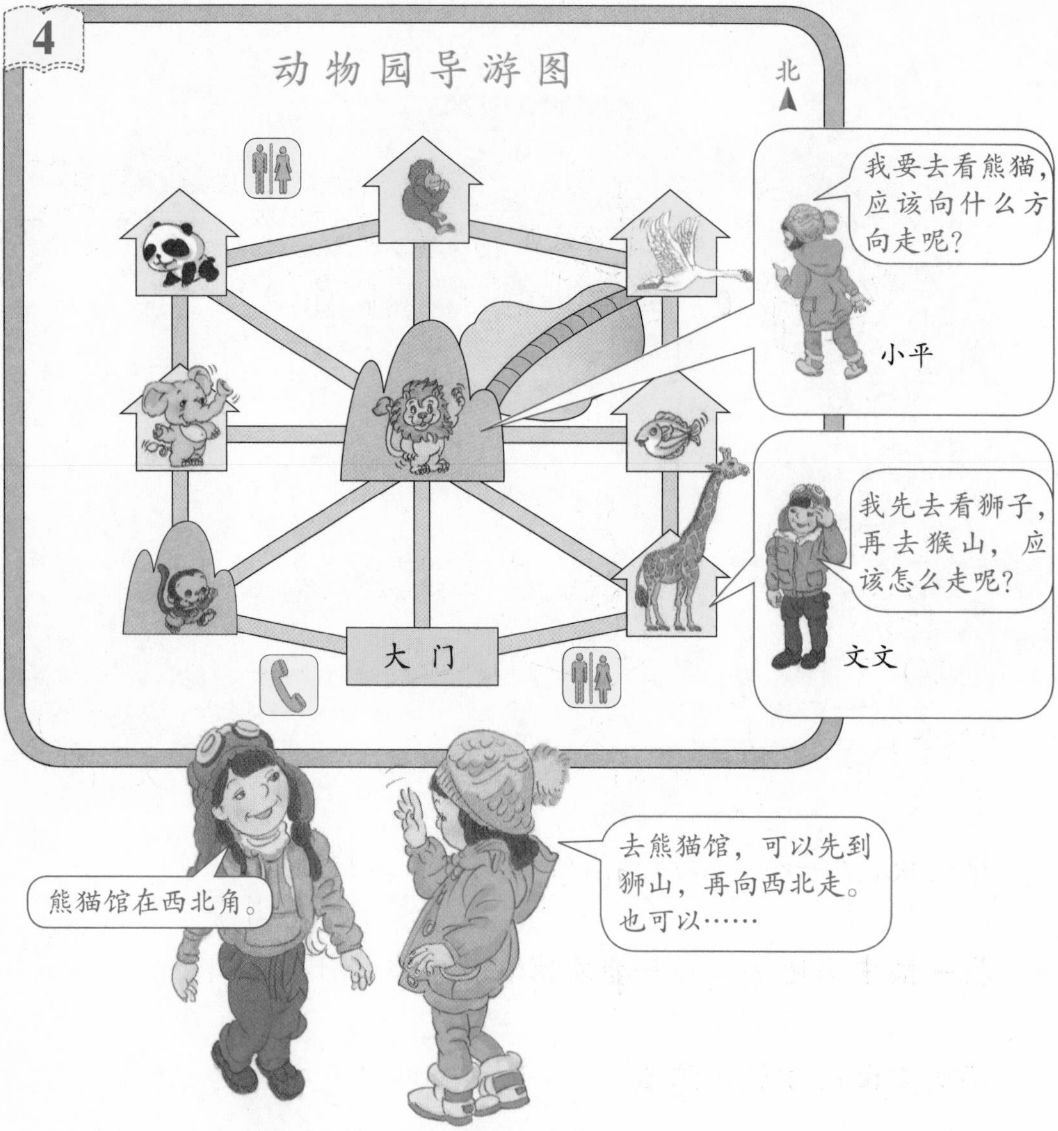

（1）帮文文和小平解决他们的问题。

（2）同桌互相提出问题，并且试着解答。

◎ 生活中的数学 ◎

练习二

1. 

说一说，十字路口四周的店铺分别在什么位置上。

2. 找一幅中国地图，指一指北京在你家乡的什么方向上。

3. 完成下面的方位示意图。

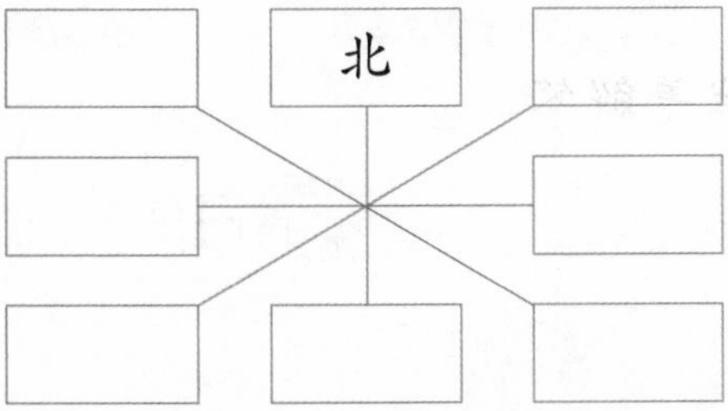

4. （1）80 里面有（　）个十，400 里面有（　）个百。
（2）46 里面有（　）个十和（　）个一，
39 里面有（　）个十和（　）个一。

5.

（1）森林中的小动物各住在什么位置？

（2）小熊的送货路线是

6. 根据例 4 中的“动物园导游图”回答问题。

（1）熊猫馆在动物园的（　　）角，飞禽馆在动物园的（　　）角。

（2）猴山在狮山的（　　）方向，长颈鹿馆在狮山的（　　）方向。

（3）说一说其他动物分别在狮山的什么方向。

（4）熊猫馆在长颈鹿馆的（　　）方向，长颈鹿馆在熊猫馆的（　　）方向。

（5）海洋馆在大门的（　　）方向，大门在海洋馆的（　　）方向。

7. 小健说：“走进游乐园大门，正北面有花坛和高空观览车。花坛的东侧是过山车，西侧是旋转木马。卡丁车和碰碰车的场地分别在游乐园的西北角和东北角……”根据小健的描述，把这些游乐项目用序号标在适当的位置上。

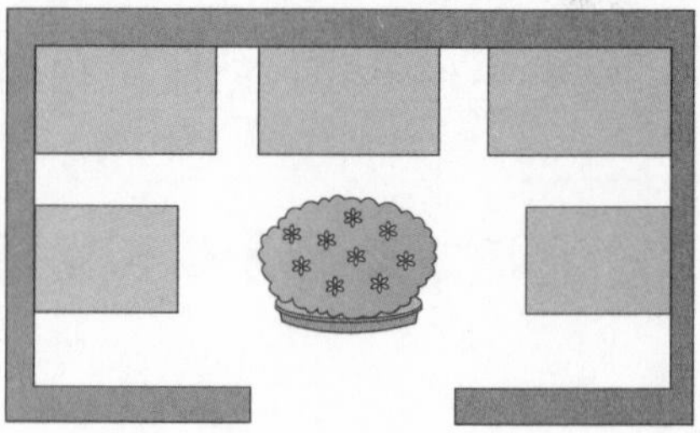

①过山车　②旋转木马　③卡丁车　④碰碰车　⑤高空观览车

本单元结束了，你想说些什么？
我会看地图了。
只要知道了北，我就能分清东、南、西三个方向了。
成长小档案

2 除数是一位数的除法

1. 口算除法

彩色手工纸每沓（dá）10张，
每盒100张。

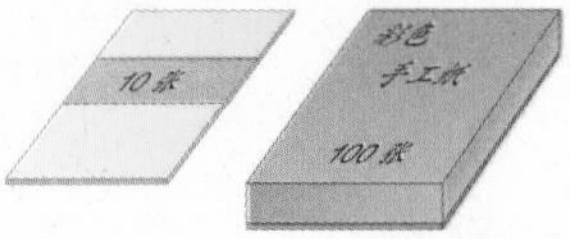

1 把60张彩色手工纸平均分给3人，每人得到多少张？

60÷3=<u>20</u>

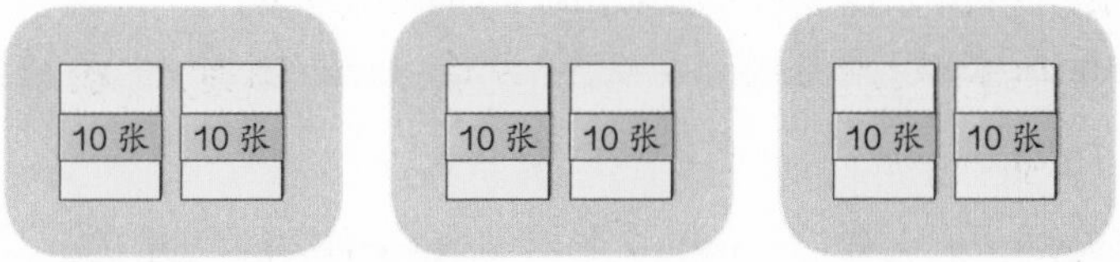

6÷3=2
60÷3=20

想一想：600÷3=200

你是怎样计算的？和同学交流一下。

做一做

8÷4=	9÷3=	60÷2=	50÷5=
80÷4=	90÷3=	600÷2=	500÷5=
800÷4=	900÷3=300	6000÷2=	5000÷5=1,000

2 3个班上手工课一共用去120张彩色手工纸，平均每班用了多少张？

120÷3= ______

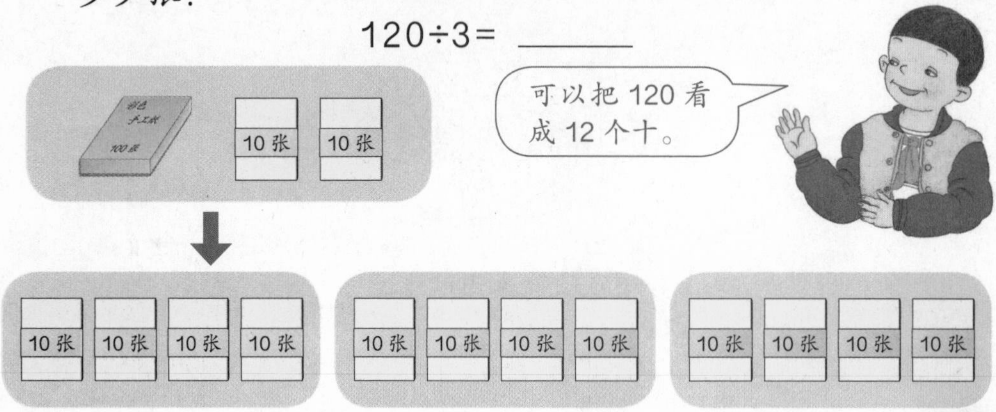

12÷3= ______

120÷3= ______

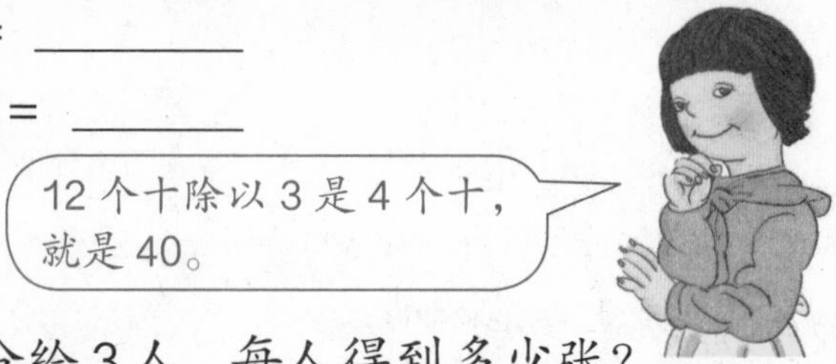

3 把66张彩色手工纸平均分给3人，每人得到多少张？

66÷3=22

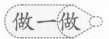

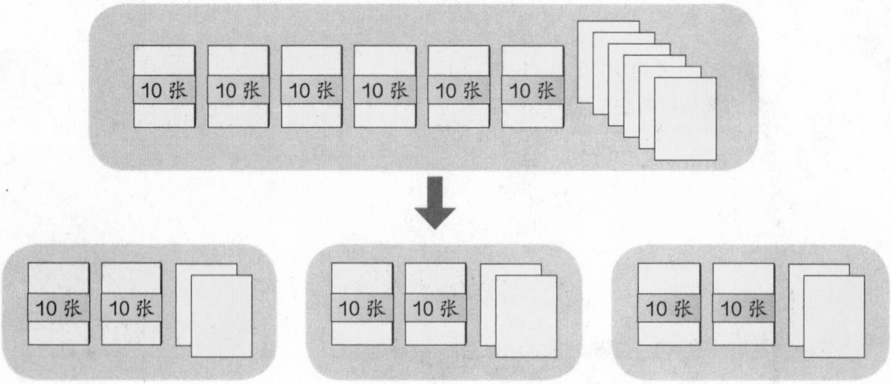

60÷3=20

6÷3=2

20+2=22

做一做

1. 15÷5=	280÷7=40
150÷5=	2800÷7=400

2. 80÷2=40	46÷2=
88÷2=	64÷2=

练习三

1. 30÷3=　　400÷2=　　9000÷3=

　 60÷2=　　800÷4=　　7000÷7=

2.

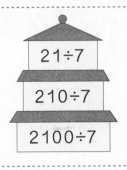

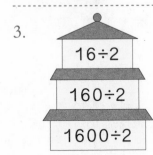

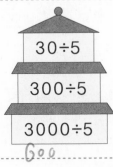

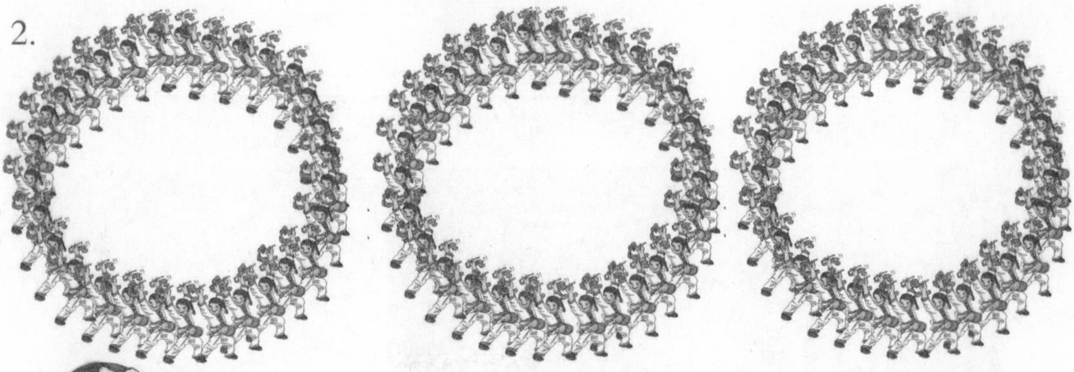

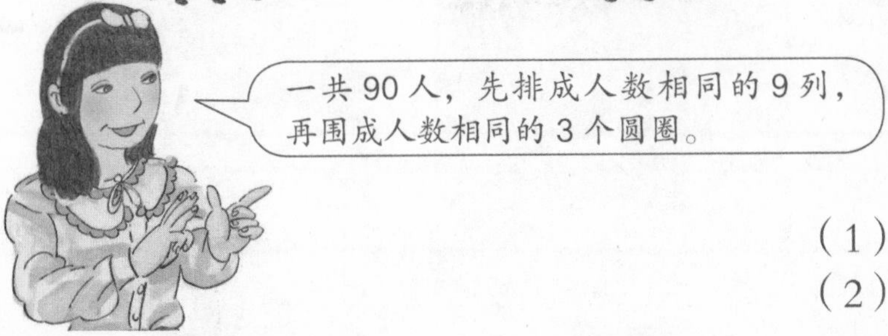

一共90人，先排成人数相同的9列，再围成人数相同的3个圆圈。

（1）每列多少人？

（2）每个圆圈多少人？

3.

16÷2	30÷5	21÷7
160÷2	300÷5	210÷7
1600÷2	3000÷5	2100÷7

600

4.

400÷ 4 = 600

400÷ 5 = 80

400÷ 8 = 50

240÷ 4 = 60

240÷ 6 = 40

240÷ 8 = 30

5. 20×2=　　400×2=　　12×3=　　24×2=

　 40÷2=　　800÷2=　　36÷3=　　48÷2=

6.

被除数	4000	270	720	63	84	99
除　数	2	3	9	3	2	3
商						

7. 公园运来 88 盆花，准备摆在 2 个花坛里。平均每个花坛摆多少盆花？如果摆在 4 个花坛里呢？

8. 一只东北虎的体重是一只鸵鸟的 4 倍，是一只企鹅的 9 倍。

东北虎
360 千克

鸵鸟
（90）千克

企鹅
（40）千克

9. 8000÷2=　　12×4=　　46+18=　　3×11=

98−45=　　62÷2=　　180÷6=　　70×8=

10.

$$\begin{array}{r}149\\+\ 278\\\hline\end{array}\qquad\begin{array}{r}782\\-\ 368\\\hline\end{array}\qquad\begin{array}{r}126\\\times\quad 3\\\hline\end{array}\qquad 7\overline{)\,60}$$

$$\begin{array}{r}326\\+\ 695\\\hline\end{array}\qquad\begin{array}{r}600\\-\ 527\\\hline\end{array}\qquad\begin{array}{r}305\\\times\quad 4\\\hline\end{array}\qquad 9\overline{)\,83}$$

2. 笔算除法

1 三年级平均每班种多少棵？

42÷2= <u>21</u>

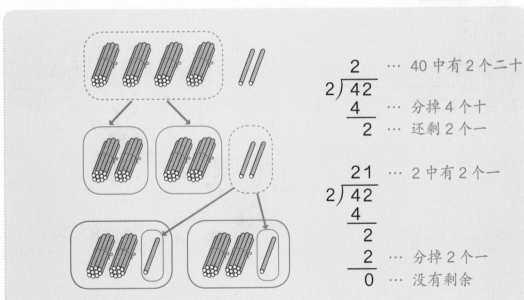

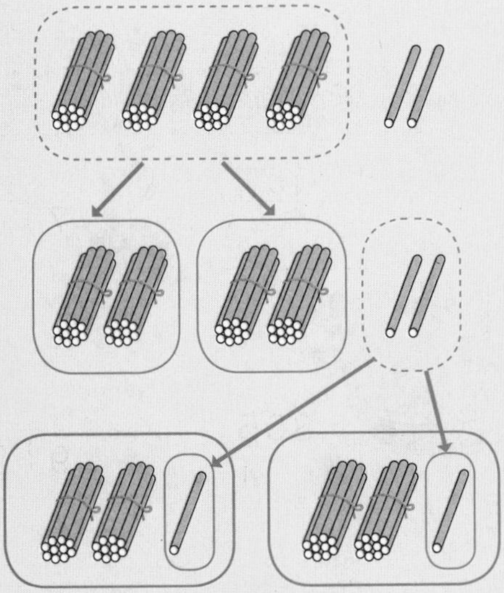

```
   2      … 40中有2个二十
2）42
   4      … 分掉4个十
    2     … 还剩2个一

   21     … 2中有2个一
2）42
   4
    2
    2     … 分掉2个一
    0     … 没有剩余
```

2 四年级平均每班种多少棵？

$52 \div 2 = \underline{26}$

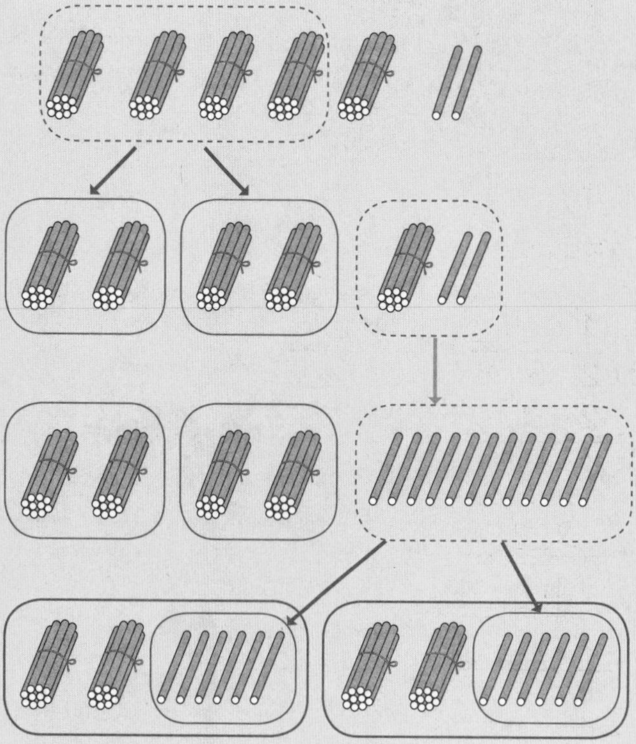

```
    2
2 ) 52
    4    … 2乘2个十
    1    … 5个十减4个十
```

```
    2
2 ) 52
    4
    12   … 剩下的1个十和2个一合起来是12
```

```
    26
2 ) 52
    4
    12
    12   … 2乘6个一
     0
```

计算正确吗？

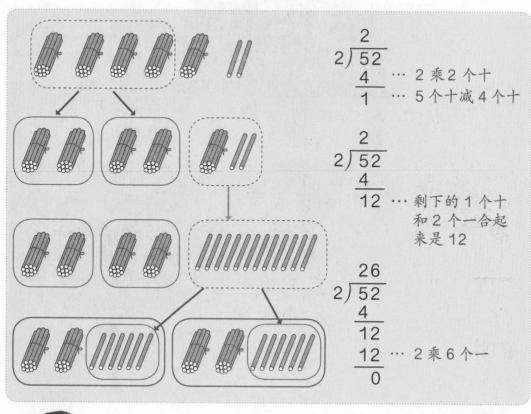

$$\begin{array}{r} 26 \\ \times \quad 2 \\ \hline \square\square \end{array}$$

平均每班种26棵，2个班种的是不是52棵呢？

当没有余数时，可以用商和除数相乘来验算。

做一做

3) 96　　2) 68　　4) 48　　4) 92　　2) 78　　3) 51

3

一共有256张照片。
用2本这样的相册正好插完。

每本相册插多少张照片？

$256 \div 2 =$ ______

```
   1 □ □
2）2 5 6
   2
  ─────
     □
     □
  ─────
     □ □
     □ □
  ─────
       □
```

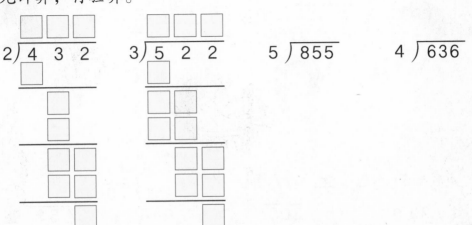

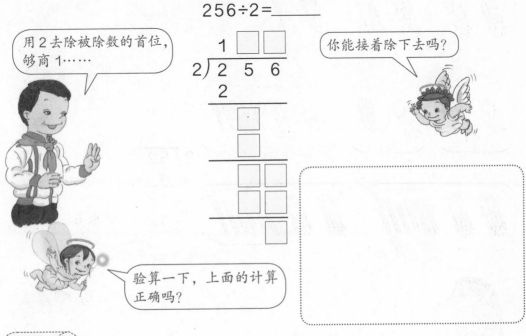

你能接着除下去吗？

验算一下，上面的计算正确吗？

做一做

先计算，再验算。

```
   □ □ □            □ □ □
2）4 3 2          3）5 2 2          5）855          4）636
   □                □
  ─────            ─────
     □              □ □
     □              □ □
  ─────            ─────
     □ □              □ □
     □ □              □ □
  ─────            ─────
       □                □
```

4 有一本相册，每页可插 6 张照片。把 256 张照片插到这本相册里，可插满多少页，还剩多少张？

256÷6= <u>42</u>（页）…… <u>4</u>（张）

①

```
6 ⟌256
```

2 个百除以 6，商不够 1 个百，怎么办？

②

```
    4
6⟌256
  24
  ───
   1
```

为什么商的十位上是 4 而不是别的数？余下的“1”表示多少？

③

```
    42
6⟌256
  24
  ───
   16
   12
  ───
    4
```

结合题目，说说竖式中每个数表示的实际意义。

```
    4 2
×     6
───────
  □ □ □
+     4
───────
  □ □ □
```

答：可插满 42 页，还剩 4 张。

小组讨论：除数是一位数的除法怎样计算？

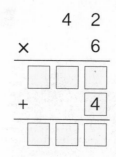

先试除被除数的首位……
余下的数必须比除数小。
除到被除数的哪一位，就把商……

做一做

先判断商是几位数，再计算并验算。

4⟌327　　5⟌305　　6⟌848　　7⟌359

练 习 四

1. $2\overline{)26}$　　$3\overline{)93}$　　$4\overline{)88}$　　$6\overline{)66}$

　 $2\overline{)34}$　　$3\overline{)75}$　　$4\overline{)56}$　　$6\overline{)84}$

2. 下面的计算正确吗？把错误的改正过来。

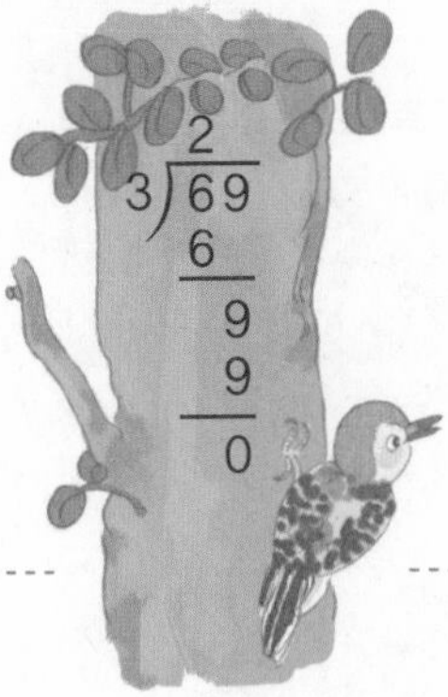

3.

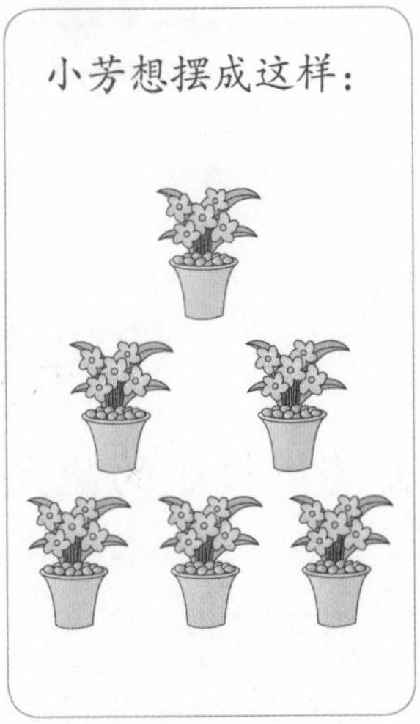

你能根据上面的信息提出数学问题并解答吗？

4. 三年级有 90 名学生。每两人用一张课桌，需要多少张课桌？把这些课桌平均放在 3 间教室里，每间教室放多少张？

5. 列竖式计算下面各题，并验算。

417÷3　　925÷5　　332÷4　　264÷6

6.

5 ⟌257　　6 ⟌804　　4 ⟌183　　2 ⟌317

给商是两位数的涂上红色，
商是三位数的涂上黄色。

7. 下面的计算正确吗？把错误的改正过来。

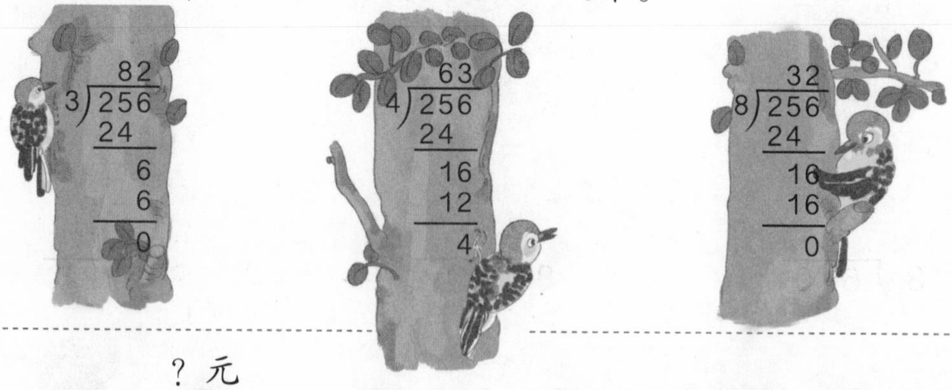

8.

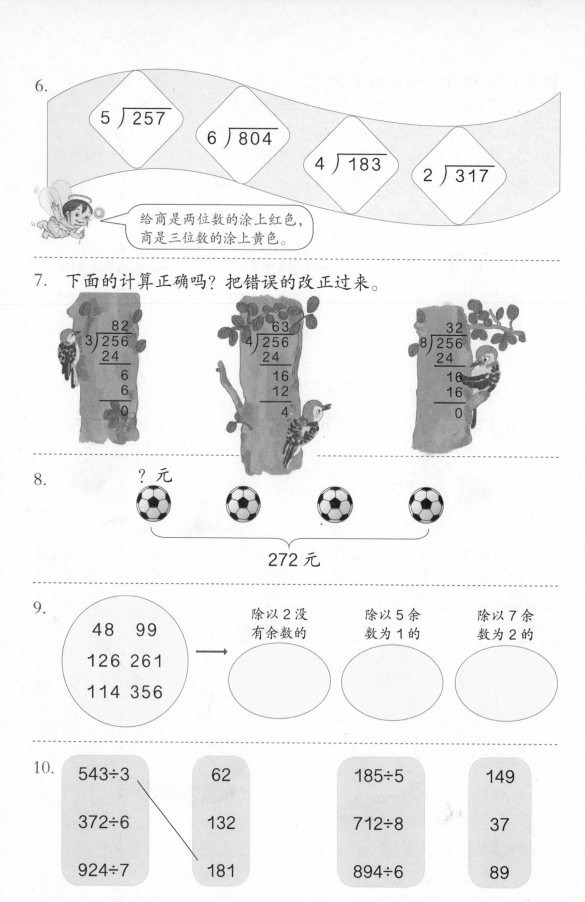

9.

48　99

126　261

114　356

→

除以 2 没有余数的

除以 5 余数为 1 的

除以 7 余数为 2 的

10.

543÷3	62	185÷5	149
372÷6	132	712÷8	37
924÷7	181	894÷6	89

11.（1）291 除以 3 的商是多少？

（2）278 除以 5，商是多少，余数是多少？

（3）被除数是 576，除数是 6，商是多少？

12. 先判断商是几位数，再计算。

$6\overline{)276}$　　$2\overline{)324}$　　$3\overline{)651}$

$3\overline{)640}$　　$8\overline{)498}$　　$9\overline{)738}$

13. 一部 8 集儿童电视剧播放时间共 336 分钟，平均每集播放多长时间？

14.

我带了 100 元，最多可以买多少盒铅笔，还剩多少钱？
8元

15.

6 元　　138 元　　4 元

（1）买 1 个压力锅的钱可以买几个碗？

（2）你还能提出其他数学问题并解答吗？

16. 很快说出下面各题的商是几。

$3\overline{)25}$　　$6\overline{)46}$　　$7\overline{)54}$　　$5\overline{)27}$

17. 学校食堂运来 175 千克大米，吃了 5 天正好吃完。平均每天吃多少千克？

18.

一共有 643 盆花，能摆出
5 个同样的蝴蝶图案。

摆每个蝴蝶图案最多用多少盆花，还剩几盆？

19. （1）李老师为幼儿园买下面玩具中的一种用去 114 元，买下面文具中的一种用去 125 元。李老师买了哪种玩具，哪种文具？各买了多少？

（2）如果李老师用这些钱只买文具盒，可以买多少个？

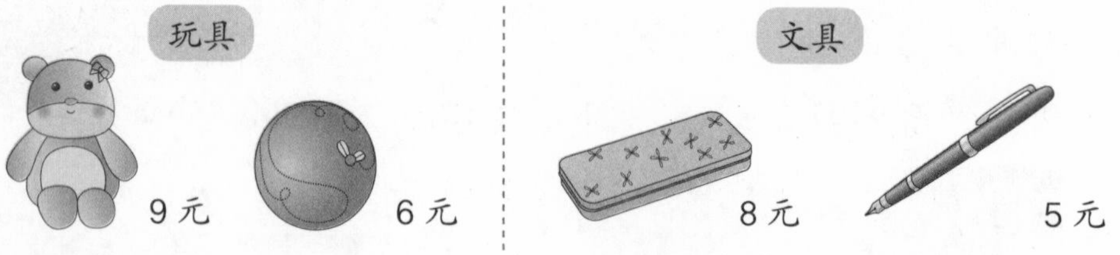
玩具
9 元
6 元
文具
8 元
5 元

20.* 下面各数，哪些除以 3 没有余数？哪些除以 5 没有余数？用线把它们分别与 3 或 5 连起来。

324	435	220	45	123

3	5

5 $0 \div 5 = \square$

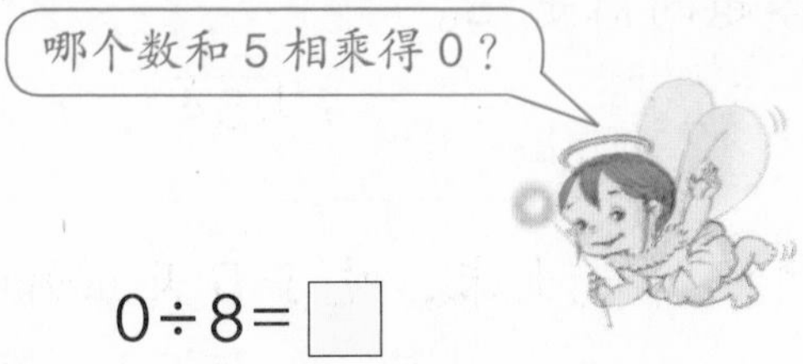

哪个数和 5 相乘得 0？

$0 \div 2 = \square$　　　$0 \div 8 = \square$

想一想：0 除以任何不是 0 的数，都得______。

6

（1）小明买了 2 套中国古典名著，每套花了多少钱？

$208 \div 2 = \underline{104}$

十位上的 0 除以 2，商是几？

```
   104
2）208
   2
   ——
    0
    0
   ——
     8
     8
   ——
     0
```

简便写法：

```
   104
2）208
   2
   ——
     8
     8
   ——
     0
```

（2）小红买了 2 套世界名著，每套花了多少钱？

216÷2= 108

十位上的 1 除以2，不够商 1，怎么办？

```
   108
2)216
  2
  ---
   1
   0
  ---
   16
   16
  ---
    0
```

简便写法：

```
   108
2)216
  2
  ---
   16
   16
  ---
    0
```

做一做

1. 0÷3　　0÷4　　0÷7

2. 2)402　　3)609　　3)615　　6)624

3.

这对藤椅 606 元。
这 4 把餐椅共 828 元。
每把藤椅比每把餐椅贵多少钱？

7

每根短跳绳5元，
每根长跳绳8元。
8元
5元

（1）650元买短跳绳，可以买多少根？

$650 \div 5 =$ ______

```
      130                简便写法：
   5)650
     5                        130
     15                    5)650
     15                      5
      0                      15
      0                      15
      0                       0
```

（2）245元买长跳绳，可以买多少根，还剩多少钱？

$245 \div 8 =$ ____（根）…… ____（元）

```
      30
   8)245
     24
      5
```

计算正确吗？请验算一下。

想一想：除到被除数的某一位上不够商1，应该怎么办？

做一做

5)750　　7)980　　3)631　　6)843

练习五

1. $2\overline{)604}$　　$4\overline{)804}$　　$3\overline{)504}$　　$5\overline{)205}$

2. $2\overline{)416}$　　$3\overline{)326}$　　$4\overline{)832}$　　$5\overline{)425}$

3.

售票处
全价票每张 206 元。
1
2
买一张全价票
和一张半价票。
半价票每张
多少钱？

4.

今年一共设了 816 个人工
鸟巢，是去年的 4 倍。

去年设了多少个人工鸟巢？

5. 306÷3　　360÷3　　680÷4　　608÷4

517÷5　　403÷8　　262÷6　　564÷7

6. 下面的计算正确吗？把错误的改正过来。

7. 有 520 把椅子，分 5 次运完。平均每次运多少把？如果分 8 次运呢？

8.

每小时行 5 千米

每小时行 110 千米

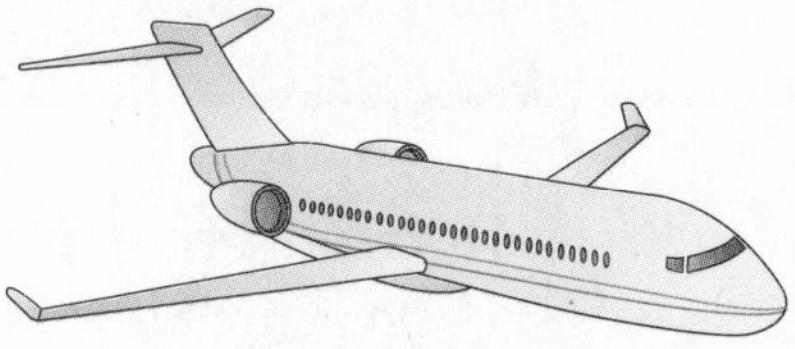

每小时行 950 千米

（1）汽车每小时行驶的距离是人步行的多少倍？

（2）飞机每小时飞行的距离是人步行的多少倍？

9. 奥林匹克火炬在某地 7 天传递了 840 千米。平均每天传递多少千米？

10. 计算下面各题，并验算。

403÷3　　627÷5　　560÷2　　842÷2

11. 同桌合作，从 0 ~ 9 的数字卡片中任意拿出 4 张，各自编出几道三位数除以一位数的除法式题，并计算出来。互相检查一下，看谁编得多，算得对。

12. 3 位老师带 50 名学生去参观植物园。

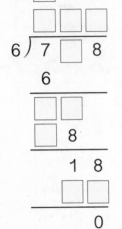

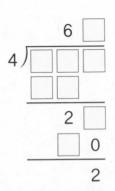

怎样买票最合算？

13.* 一道除法算式中，商和余数都是 3，除数正好是余数的 3 倍。被除数是（　　）。

14.* 在□里填上合适的数。

```
      □□□
  6 ) 7□8
      6
      ──
      □□
      □8
      ──
       18
       □□
      ──
        0
```

```
        6□
  4 ) □□□
      □□
      ───
       2□
       □0
      ───
        2
```

8

你们住了 3 天，住宿费一共是 267 元。

每天的住宿费大约是多少钱？

阅读与理解

知道了……
要解决……

“大约”是什么意思？

分析与解答

求大约多少钱不用算出准确的钱数。

每天的住宿费 =
总钱数 ÷ 住的天数。

267 元接近 300 元。

$267 \div 3 \approx 100$（元）

300

267 元接近 270 元。

$267 \div 3 \approx 90$（元）

270

答：每天的住宿费大约是______元。

回顾与反思

他们的解答都合理吗？为什么？
每天的住宿费比 90 元多还是比 90 元少？比 80 元呢？

9

一共有18个纸箱，够装吗？
今天一共摘了182个菠萝，每箱装8个。

阅读与理解

知道了……
要解决……
“够装”是什么意思？

分析与解答

可以用估一估的方法来解决。20箱只能装160个，肯定装不下。

182 ≈ 180，
182÷8 > 20。
需要的纸箱肯定超过20个。

18≈20

20×8=160（个）

回顾与反思

他们的分析有道理吗？

你是怎么解决这个问题的？请和同学交流一下。

答：18个纸箱不够装。

多少个纸箱才能装下？

请你自己试着解决这个问题。

练 习 六

1. 下面算式的结果比较接近几十？

78÷4≈	361÷5≈	178÷6≈
98÷9≈	470÷8≈	500÷7≈

2. 平均每筐大约装几十个？

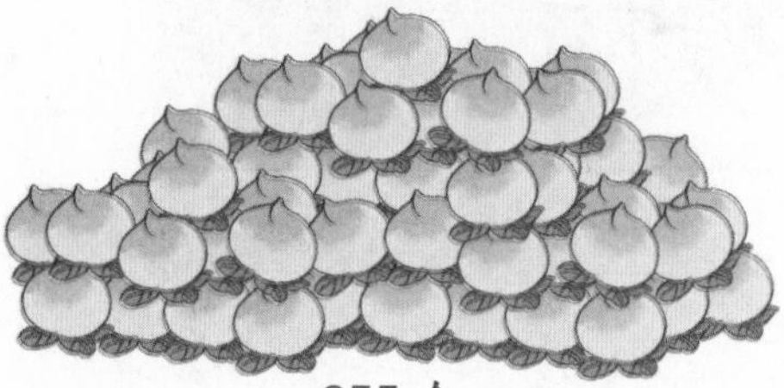

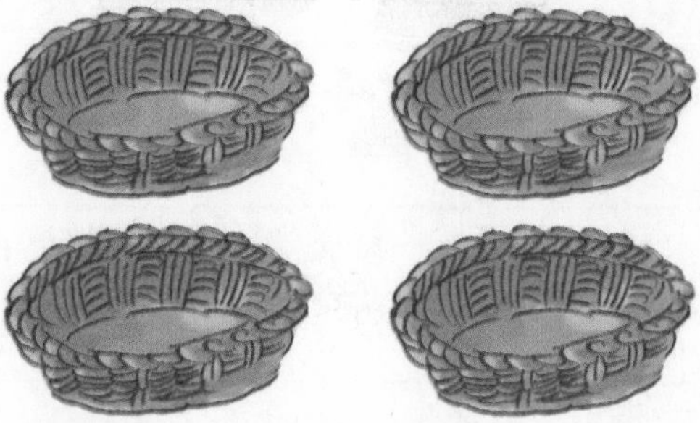

3.

每件T恤衫大约多少钱？

4.

青蛙
大约活 6 年

海龟
大约活 128 年

比目鱼
大约活 64 年

（1）海龟的寿命大约是青蛙的多少倍？

（2）你还能提出其他数学问题并解答吗？

5.

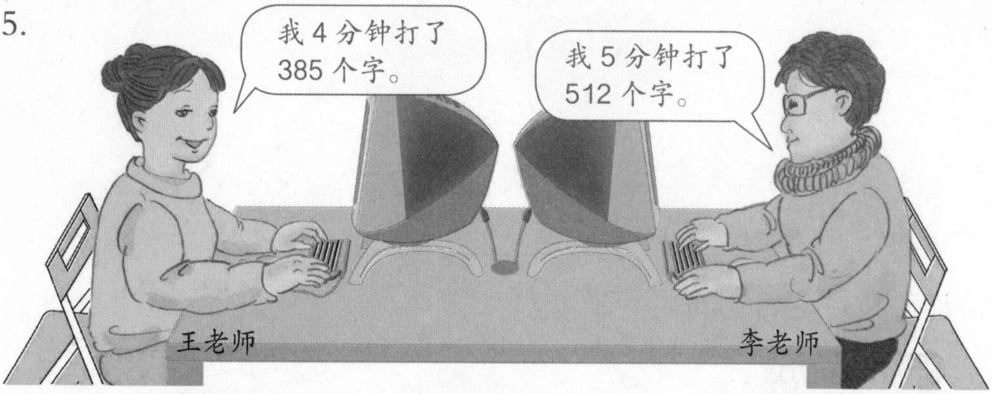

哪位老师打字打得更快？和同学交流一下你是怎样解答的。

6.

年级	班级数	捐赠图书册数
一	3	256
二	4	345
三	5	478

7.

把苹果、梨和香蕉都装上车，行吗？

8*（1）要使商的中间有 0，□里可以填几？

$3\overline{)9\square5}$

（2）要使商末尾有 0，两个□里可以分别填几？

$4\overline{)\square8\square}$

整理和复习

除数是一位数的除法，计算时需要注意什么？怎样验算计算结果是否正确？
除的过程中每一步的余数必须小于除数。
先比较被除数首位和除数，确定商的首位在哪一位。
除到被除数的哪一位不够商 1，就对着这一位商 0。
如果除到最后有余数，验算时不要忘了加上余数。

选择合适的方法解决下面的问题。

（1）一块像教室那么大的草地1天产生的氧气够3个人用。三年级有120人，多少块这样大的草地1天产生的氧气够三年级学生用？

（2）丁小林家到学校有500米。他每天上学大约走8分钟，他每分钟大约走几十米？

（3）三年级的225名学生要乘5辆车去春游。如果每辆车坐的人同样多，每辆车应该坐多少人？

练 习 七

1.

	商的位数	估算的结果	准确值
876÷3			
242÷4			
417÷6			
896÷8			
644÷7			
753÷5			

2. 估一估哪个算式的商最接近圈中的数，在它上面画“√”。

40：7)142　4)165　6)281　2)810

70：5)254　7)492　3)200　6)400

80：7)540　2)230　9)959　6)481

3.

783÷6	584÷5
824÷4	920÷8
720÷3	204×3
238+647	412−298

4.

576÷3÷4　　81×7÷9

201+232−365　　399÷7+294

672÷(2×3)　　(601−246)÷5

5.

（1）杨叔叔4天卖了多少钱？
（2）杨叔叔平均每天卖多少根冰糕？

6.

这瓶药够吃1个月吗？

7. 下面是王叔叔水果摊进货的记录单。

品种	箱数	总质量/千克
草莓	4	128
杏	6	144
水蜜桃	5	175

估一估，算一算，哪种水果平均每箱最轻。

本单元结束了，你想说些什么？

成长小档案 ★★

我会利用估算解决一些问题了。
两、三位数除以一位数，我不用计算就能判断商是几位数。

3 复式统计表

1 你最喜欢哪种活动？

统计一下本班同学最喜欢的
活动情况。（每人限选一种。）

男生最喜欢的活动

活动	看书	踢球	看电视	画画	跳绳	玩电子游戏
人数						

女生最喜欢的活动

活动	看书	踢球	看电视	画画	跳绳	玩电子游戏
人数						

从上面的表中，可以知道哪些信息？

这两个表有什么共同点？

这两个表的活动都一样，调查的都是……

像这样的表可以合成一个表，怎么合呢？

活动 人数 性别	看书	踢球	看电视	画画	跳绳	玩电子游戏
男生						
女生						

这个表包含哪几项内容？根据上表，回答下面的问题。

（1）男生最喜欢哪种活动的人最多？女生呢？

（2）参加调查的一共有多少人？

（3）你对调查的结果有什么看法和建议？

做一做

调查本班同学最喜欢下面哪种电视节目。

节目 人数 性别	动画片	体育运动	电视剧	科教片	知识竞赛类	少儿综艺类
男生						
女生						

（1）女生喜欢（　　）的人最多。男生呢？

（2）有女生和男生都比较喜欢的节目吗？

（3）你能提出什么问题？和同学们交流一下。

练 习 八

1.

金牌数 国家 / 届数	中 国	美 国	俄罗斯
第 27 届	28	39	32
第 28 届	32	35	27
第 29 届	51	36	23

关于上面三届奥运会，下面哪些说法是正确的?

（1）中国获得的金牌一届比一届多。

（2）俄罗斯获得的金牌一届比一届少。

（3）每届都是美国获得的金牌最多。

2. 下面是育人小学三（1）班学生的体育成绩记录单。

男生体育成绩记录单

学 号	成 绩	学 号	成 绩
1	良	6	及格
2	优	7	优
3	及格	8	良
4	良	9	及格
5	及格	10	良

女生体育成绩记录单

学 号	成 绩	学 号	成 绩
11	良	16	及格
12	及格	17	良
13	优	18	及格
14	良	19	优
15	及格		

请把这些数据整理在下表中。

人数 成绩 / 性别	优	良	及格	不及格
男生				
女生				

（1）比较一下这个班男生和女生的体育成绩。

（2）这个班的体育成绩怎么样?

3. 调查本班同学最喜欢下面哪类图书。

图书种类 / 人数 / 性别	儿童文学类	科普类	动漫类	其他
男生				
女生				

（1）男生喜欢（　　　　）类图书的人数最多。
（2）女生喜欢（　　　　）类图书的人数最多。

4. 调查本班同学爸爸、妈妈每天工作和做家务的时间。

时间 / 人数 / 父母	6 小时以下	6~8 小时	8~10 小时	10 小时以上
爸爸				
妈妈				

（1）大多数爸爸每天工作和做家务的时间是(　　　)小时。
（2）大多数妈妈每天工作和做家务的时间是(　　　)小时。
（3）看到这个统计结果，你有什么感受？

5. 请在三年级和五年级各选一个班，统计一下这两个班同学每天完成家庭作业所用的时间。

人数 时间 班级	30 分钟以下	30～60 分钟	60 分钟以上
三年级（　）班			
五年级（　）班			

（1）三年级大多数同学每天完成作业的时间大约在（　　　　）。

（2）五年级大多数同学每天完成作业的时间大约在（　　　　）。

（3）从你的统计中，你发现了什么？有什么感想？

6. 在班里选三名同学，把他们的个人信息填写在下面的记录单上。

姓名 ____________
年龄 __________岁
身高 __________cm
体重 __________kg

姓名 ____________
年龄 __________岁
身高 __________cm
体重 __________kg

姓名 ____________
年龄 __________岁
身高 __________cm
体重 __________kg

你能在同一个表中，把这些信息都表示出来吗？

本单元结束了，
你想说些什么？

我发现合起来的表能更简洁地表示信息。
有联系的几个表可以合成一个表。

成长小档案

★★★

4 两位数乘两位数

1. 口算乘法

1

3筐草莓有多少盒？

15×3=____

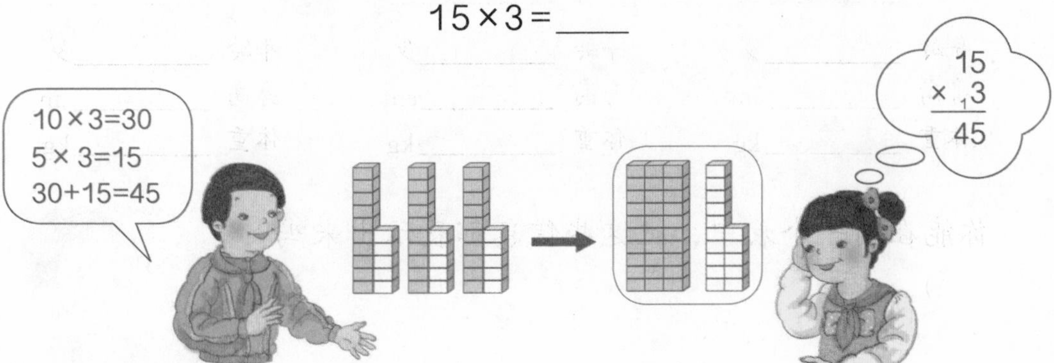

想一想：150×3=____

做一做

11×5=	14×4=	15×6=	23×4=
110×5=	140×4=	150×6=	230×4=

2 （1）橙子每盒 6 个，10 盒有多少个？

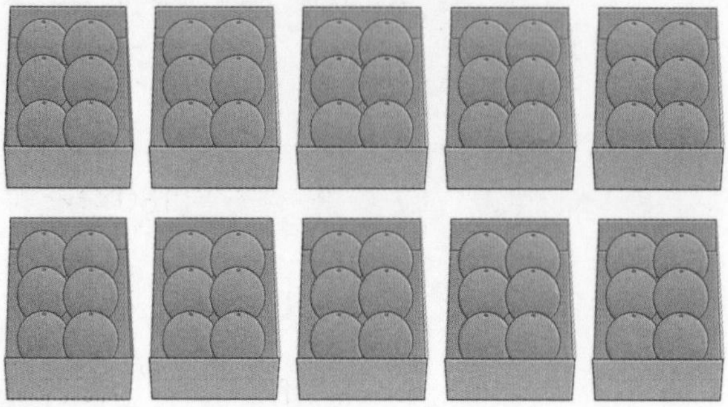

6×10= ____

计算下面各题，你发现了什么？

5×10=　　9×10=　　18×10=　　40×10=

（2）苹果每盒 12 个，20 盒有多少个？

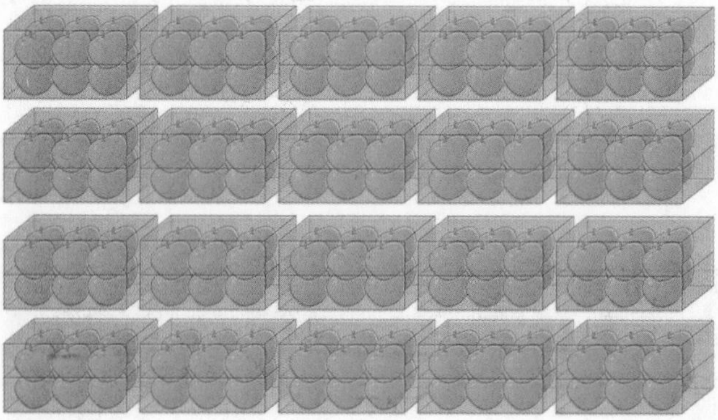

12×20= ____

做一做

12×30=　　31×30=　　14×20=　　30×20=

120×30=　　310×30=　　14×200=　　30×200=

练习九

1.

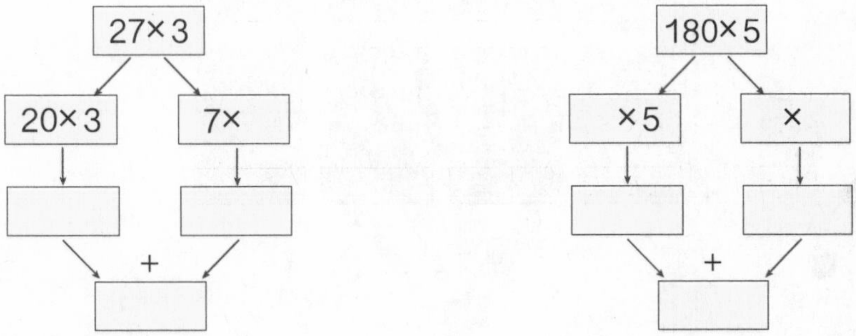

2. 口算。

30×5	15×5	14×6	13×6
25×2	18×4	17×5	12×7
16×3	220×4	46×2	24×4
140×3	170×4	32×3	39×2

3.

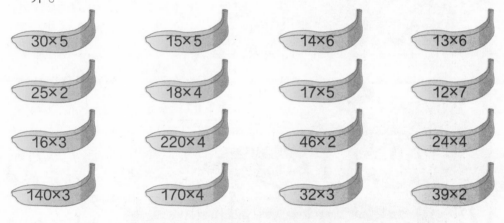

（1）3 辆车最多可坐多少人？

（2）80 人乘坐这 4 辆车，能坐下吗？

4. 一只虎体重 180 千克，一只熊的体重是虎的 2 倍。这只熊的体重是多少千克？

5. 25×3=　　16×5=　　44×2=　　17×3=

13×20=　　21×10=　　30×30=　　12×40=

41×20=　　13×30=　　11×40=　　240×3=

6.

（1）1串糖葫芦12个山楂，穿30串这样的糖葫芦需要多少个山楂？

（2）1串糖葫芦卖3元，30串能卖多少钱？

7.

（1）养1张蚕子可产茧50千克，李红家的蚕子可产茧多少千克？

（2）李家村共养了80张蚕子，可产茧多少千克？

（3）1千克茧卖18元，50千克能卖多少钱？

8. 夺红旗。

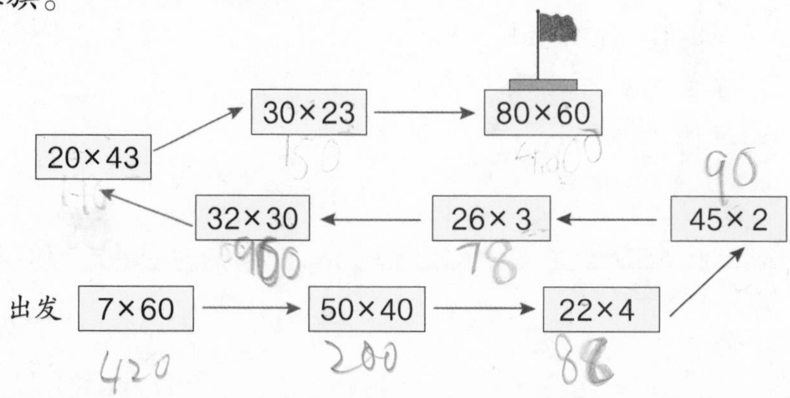

9. 44×20　　360÷6　　16×6　　25×4

80÷4　　38×2　　22×30　　50×16

10.

鲸
每秒游 11 米

羚羊
每秒跑 22 米

豹子
每秒跑 31 米

（1）鲸 1 分钟能游多少米？

（2）羚羊 40 秒能跑多少米？

（3）* 一只豹子正在快速追赶奔跑中的羚羊，当距离羚羊 150 米时，再过 20 秒能追上吗？

11. 一个未关紧的水龙头 1 分钟滴水 50 克。

（1）1 小时滴水多少千克？

（2）1 天（24 小时）滴水多少千克？

请注意节约用水！

12.

售票处
成人票：24元
学生票：12元
我买 40 张学生票和 2 张成人票。

（1）买学生票花了多少钱？

（2）你能提出一个数学问题并解答吗？

2. 笔算乘法

1 每套书有 14 本，王老师买了 12 套。一共买了多少本？

你会计算吗？把你的方法试着用点子图表示出来。

$14 \times 12 =$ ______

小刚这样想：

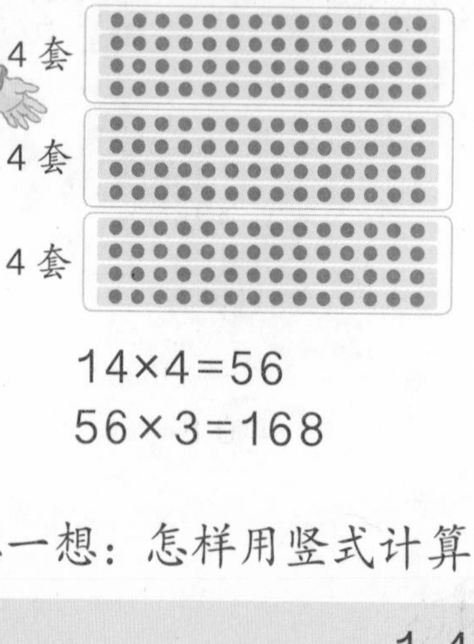

$14 \times 4 = 56$

$56 \times 3 = 168$

小红这样想：

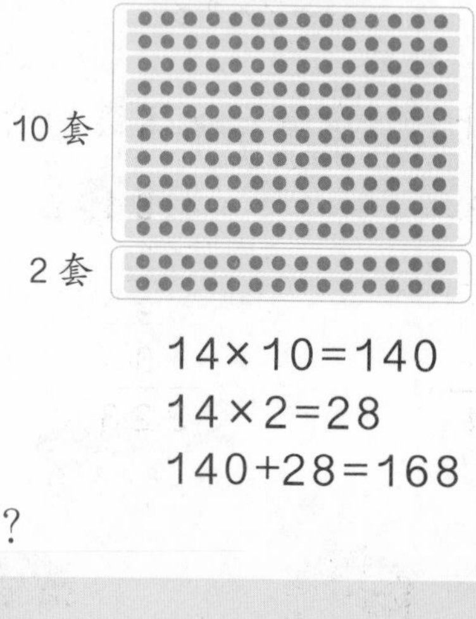

$14 \times 10 = 140$

$14 \times 2 = 28$

$140 + 28 = 168$

想一想：怎样用竖式计算？

$$\begin{array}{r} 1\,4 \\ \times\ 1\,2 \\ \hline 2\,8 \\ 1\,4\,0 \\ \hline 1\,6\,8 \end{array}$$

□套书的本数 ⟵ 28 …… 14×2 的积

□套书的本数 ⟵ 140 …… 14×10 的积（个位的 0 不写）

做一做

$$\begin{array}{r} 2\,3 \\ \times\ 1\,3 \\ \hline \end{array} \qquad \begin{array}{r} 3\,3 \\ \times\ 3\,1 \\ \hline \end{array} \qquad \begin{array}{r} 4\,3 \\ \times\ 1\,2 \\ \hline \end{array} \qquad \begin{array}{r} 1\,1 \\ \times\ 2\,2 \\ \hline \end{array}$$

练 习 十

1. 下图中一共有多少个鸡蛋？计算后，你有什么发现？

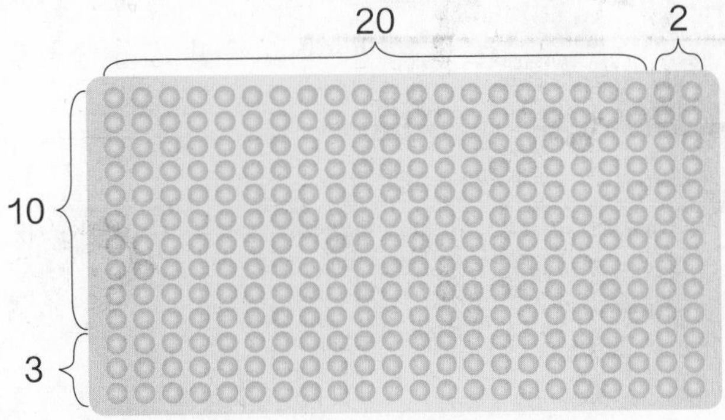

22×13=

$$\begin{array}{r} 22 \\ \times\ 13 \\ \hline \end{array}$$

2. 列竖式计算。

12×44　　　32×13　　　42×11　　　21×23

3. 下面的计算正确吗？把错误的改正过来。

4.

5. 一本书有 300 页，如果每天读 22 页，2 周能读完吗？如果每天读 40 页，7 天能读完吗？

6. 列竖式计算。

12×32　　41×21　　22×23　　13×13

7.

8. 学校食堂买了一批粮食。买了 11 袋大米，每袋 25 千克；买了 34 袋面粉，每袋 20 千克。

（1）大米和面粉各买了多少千克？

（2）用载重 1 吨的货车一次能运回来吗？

（3）1 袋大米 80 元，1 千克面粉 7 元。你能提出数学问题并解答吗？

9. 计算下面第一列各题，你发现了什么规律？请根据规律直接填写其他各题的得数。

31×11=	41×11=	50×11=
32×11=	42×11=	51×11=
33×11=	43×11=	52×11=
34×11=	44×11=	53×11=
35×11=	45×11=	54×11=

2 春风小学有 37 个班，平均每班有 48 人。一顿午餐要为每人配备一盒酸奶，一共需要多少盒酸奶？

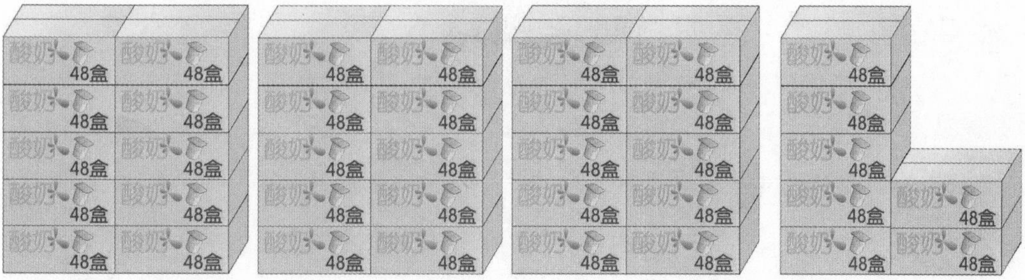

48×37= ______

$$\begin{array}{r} 4\ 8 \\ \times\ 3_{5}7 \\ \hline 3\ 3\ 6 \\ \square\square\square\ \ \\ \hline \square\square\square\square \end{array}$$

接下来怎样算？

小组讨论：乘数是两位数的乘法怎样计算？

先用一个乘数个位上的数去乘另一个乘数。
得数的末位与乘数的个位对齐。
再用这个乘数十位上的数……

练 习 十 一

1.
```
    2 3          5 4          4 7          7 8
  × 3 4        × 2 9        × 6 2        × 8 2
```

2. 列竖式计算。

$24×36$　　　$27×14$　　　$15×62$　　　$37×19$

$63×25$　　　$42×28$　　　$48×31$　　　$45×76$

3. 下面的计算正确吗？把错误的改正过来。

```
    2 1              5 9              4 3
  × 3 4            × 2 2            × 4 6
  ───────          ───────          ───────
    6 4            1 1 8            2 5 8
  6 3            1 1 8            1 7 2
  ───────        ─────────        ─────────
  6 9 4          2 3 6            1 9 7 8
```

4.

每套有 12 张，售价 16 元。

今天卖出 56 套风光明信片。

一共卖了多少钱？

5. 李老师带 380 元钱去商店买足球，发现足球的价钱比 25 元贵。买了 13 个足球后，钱还没花完。

（1）足球的价钱可能是多少元？

（2）*如果买完足球后剩余 16 元，足球的价钱是多少？

6.

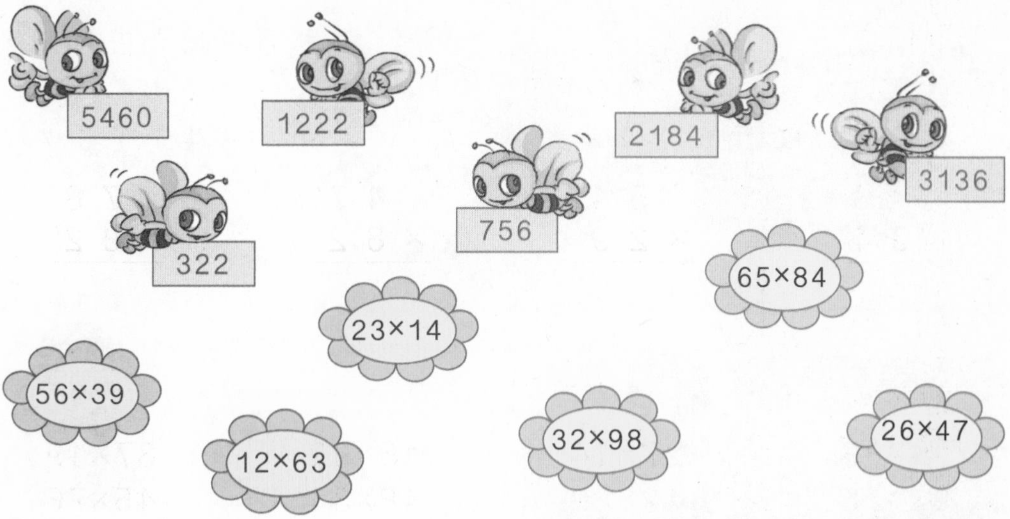

7. 中国“天宫一号”载人航天器绕地球飞行一圈需要90分钟。绕地球16圈，需要多少分钟？

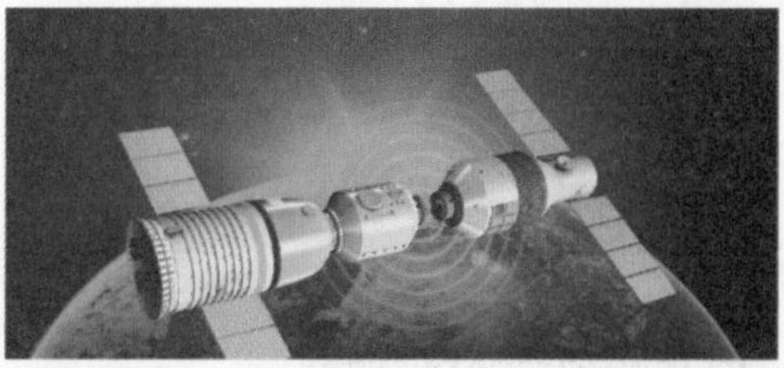

8. 有32个国家队参加世界杯足球赛决赛，每队有23名队员。一共有多少名队员参加决赛？

9. 甲地到乙地的路程是530千米。一辆运菜的货车平均每小时行驶90千米。这辆货车早晨6时从甲地出发，中午12时能到达乙地吗？

10. 计算下面第一列各题，你发现了什么规律？请根据规律直接填写其他各题的得数。

15×15=	55×55=
25×25=	65×65=
35×35=	75×75=
45×45=	85×85=

3

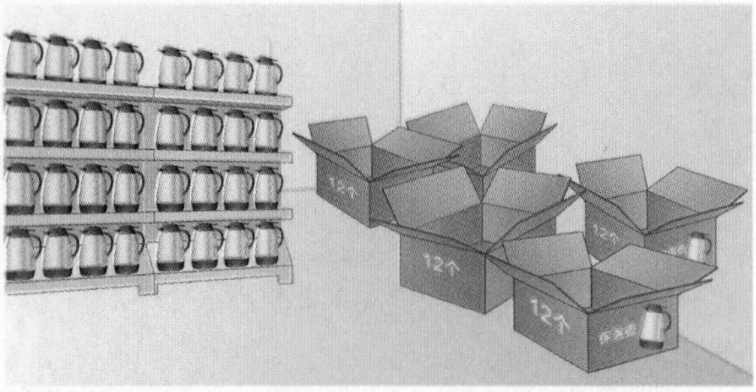

超市一周卖出 5 箱保温壶，每个保温壶卖 45 元。一共卖了多少钱？

阅读与理解

知道每箱有多少个，还知道……

要求 5 箱保温壶卖了多少钱。

分析与解答

可以先求一箱卖多少钱，再……

也可以先求 5 箱共有多少个。

（1）每箱卖了多少钱？

45×12=540（元）

（2）一共卖了多少钱？

____

（1）5 箱共有多少个保温壶？

12×5=60（个）

（2）一共卖了多少钱？

____

你会列综合算式吗？

45×12×5=__________

12×5×45=__________

回顾与反思

知道数量和每个保温壶的价钱，就可以求出总钱数。

两种方法都得到卖了 _____ 元。

答：一共卖了 _______ 元。

做一做

张庄小学新盖 16 间教室，每间教室有 6 扇窗子。每扇窗子安装 8 块玻璃，一共要安装多少块玻璃？

4 三年级女生要进行集体舞表演。老师将参加表演的 60 人平均分成 2 队，每队平均分成 3 组。每组有多少人？

阅读与理解

要把 60 人平均分成 2 队，每队再平均分成 3 组。求……

分析与解答

将 60 人平均分成 2 队，可以求出每队有多少人……

也可以先求出要将 60 人一共分成多少组，再……

60÷2=30（人）
30÷3=10（人）

3×2=6（组）
60÷6=10（人）

请列出综合算式。

________________ ________________

回顾与反思

可以用不同的方法解答这个问题。

每组 10 人，3 组 30 人；
每队 30 人，2 队 60 人。
解答正确。

答：每组有________人。

做一做

有一种杯子，6 个杯子装一盒，8 盒装一箱。960 个杯子可以装多少箱？

练习十二

1. 
我坚持锻炼身体，每天跑2圈。

跑道每圈长 400 米，她一个星期（7 天）跑多少米？

2. 一个西瓜大棚有 8 垄，每垄种 35 棵，每棵结 2 个西瓜。一共结多少个西瓜？

3. 27×39　　18×46　　239×4　　8×126

23×6×7　　9×7×24　　78×21-531

4. 
每次可以运走 12 箱。
24瓶

3 次恰好运完这些矿泉水。一共有多少瓶矿泉水？

5. 

他已经游了多少米？

6. 

平均每辆车每次运多少千克？

7. 

平均每个书架每层放几本书？

8. 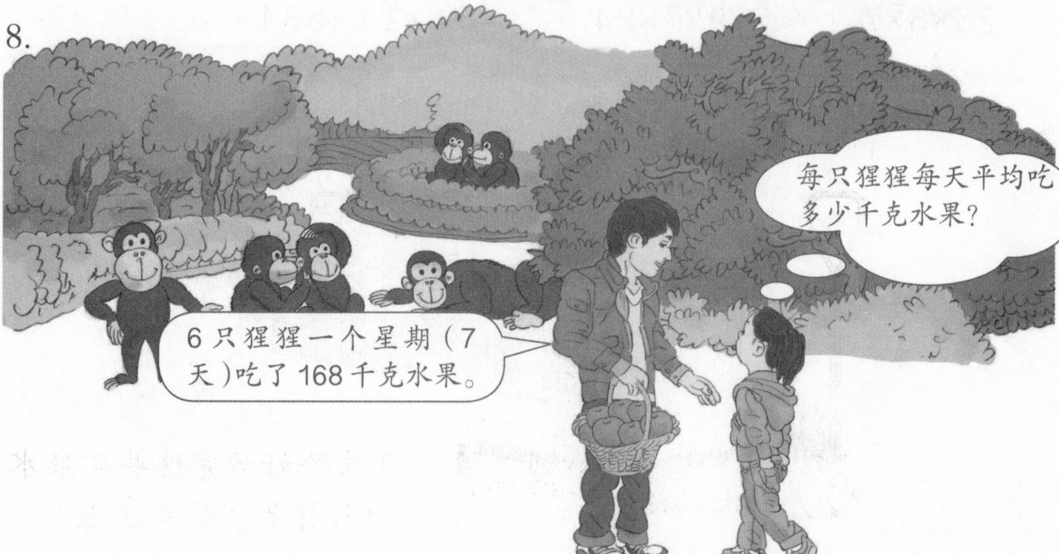

9.

平均每场售出多少张票？

10. 352÷8÷4　　58÷2×16　　21×14÷7

32×21－29　　48÷8＋16　　32＋(76－45)

11. 一个人平均每月产生 32 千克垃圾。小明家有 3 口人，一年(12 个月)产生多少垃圾？

12. 小丽有 192 张照片，正好放满了 2 本相册。

每页放了 4 张照片。
每本相册有多少页？

13.

买哪种牙刷便宜？

32 元　　4 元 5 角

14. 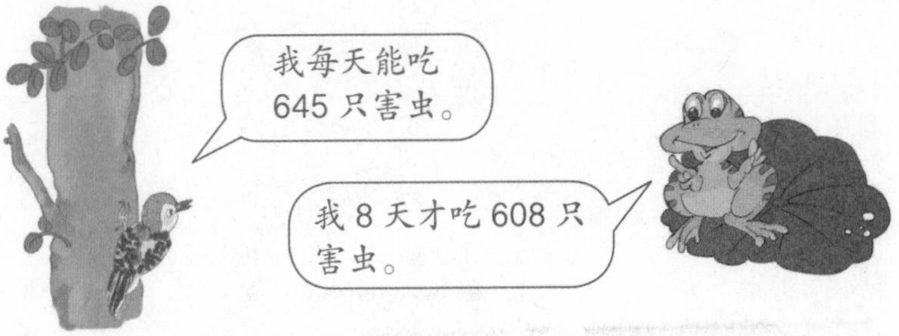

 比  每天多吃多少只害虫？

15. 陈老师花36元买了3盒肥皂，每盒4块。平均每块肥皂多少钱？

16. 

还可以怎样租船？要花多少钱？

17. 学校食堂买了22箱苹果，每箱有2层，每层有15个。全校有6个年级，每个年级有3个班，平均每班有36人。每4个苹果约重1千克，每千克苹果5元钱。

（1）一共买了多少个苹果？

（2）每人1个苹果，够吗？

（3）你能提出其他数学问题并解答吗？

整理和复习

1. 在空格里填上相应的积。

×	20	25	30	35	40	45	50	55	60
22									
23									
24									
25									
26									
27									
28									
29									
30									

笔算时要注意些什么？

（1）哪些积是口算得到的？是怎样口算的？
（2）哪些积是笔算得到的？是怎样笔算的？

2. 冬冬家有 4 行橘子树，每行 8 棵，今年平均每棵收获橘子 25 千克。

（1）今年冬冬家一共收获橘子多少千克？
（2）把这些橘子装箱，每箱 8 千克。用 5 辆三轮车运走，平均每车运多少箱？
（3）如果每千克橘子卖 2 元钱。你能提出数学问题并解答吗？

说说解决上面这些问题的步骤，每步各做了些什么？

练习十三

1. 口算。

31×3=	14×50=	190×2=	13×60=
17×400=	60×900=	24×5=	25×80=

2. 列竖式计算。

16×16	17×17	18×18	22×22
37×24	55×48	29×72	18×43

3. 比较每组算式得数的大小，你发现了什么？

（1）30×30=	31×29=	32×28=	33×27=
（2）50×50=	51×49=	52×48=	53×47=

4. 王叔叔平均每个工作日投送 28 个快递邮件。如果每月按 22 个工作日计算，王叔叔半年（6 个月）一共投送多少个快递邮件？

5. 一辆出租车一个星期（7 天）收入 1260 元钱。如果每天工作 9 小时，平均每小时收入多少钱？

6. 参加学校乒乓球比赛的所有队员分成 8 个大组，每个大组再分成 4 个小组，每个小组有 9 人。

（1）参赛队员一共有多少人？

（2）参赛队员来自 6 个年级，每个年级有 3 个班。平均每班参赛的有多少人？

（3）参赛的女生有 120 人。你能提出数学问题并解答吗？

本单元结束了，
你想说些什么？

成长小档案

★★★★

我会计算两位数乘两位数了。
用点子图表示乘法的那道题真有趣！

5 面积

面积和面积单位

1 观察黑板面和国旗的表面，说说哪一个面比较大。

黑板面比国旗面大。
黑板表面的大小就是黑板面的面积，国旗表面的……

你能像这样说说其他物体表面的面积吗？

课桌表面的大小就是课桌面的面积。
数学书封面的大小就是数学书封面的面积。

做一做

摸摸你的字典的封面和侧面，说说哪一个面的面积比较小。

2 下面两个图形，哪个面积大？

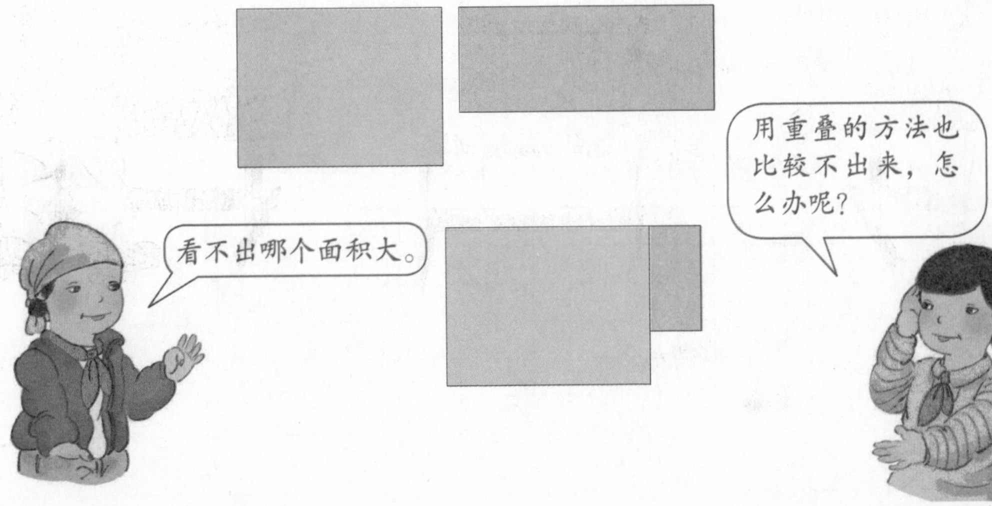

看不出哪个面积大。
用重叠的方法也比较不出来，怎么办呢？

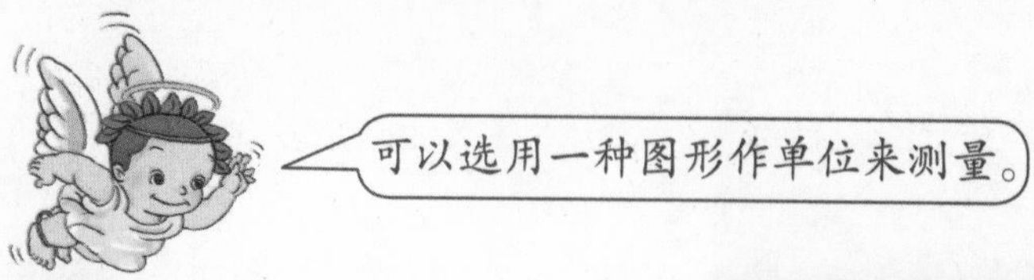

可以选用一种图形作单位来测量。

我选 作单位来量。

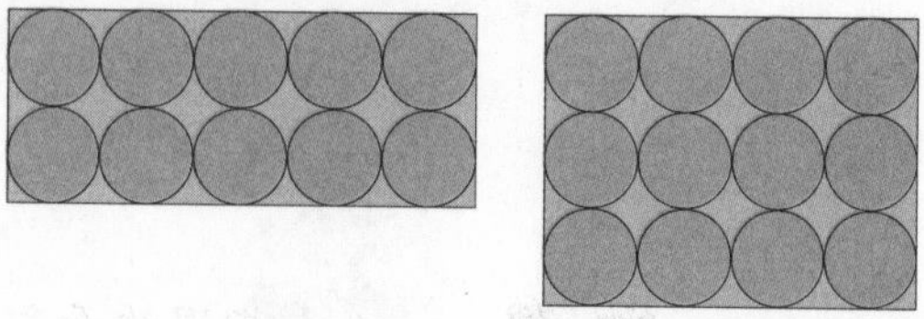

我选 来量。

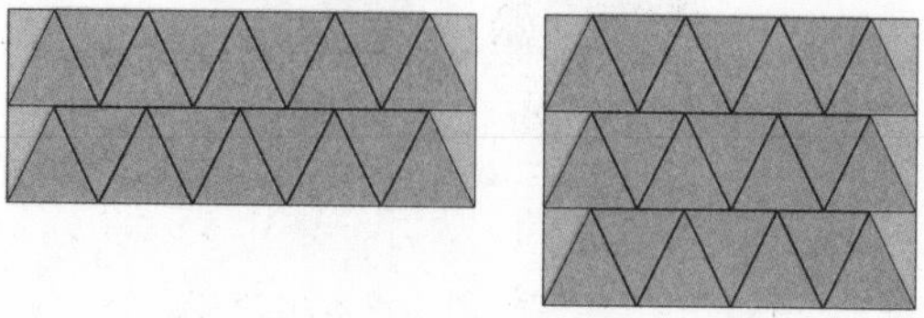

我选 来量，蓝色的长方形大。

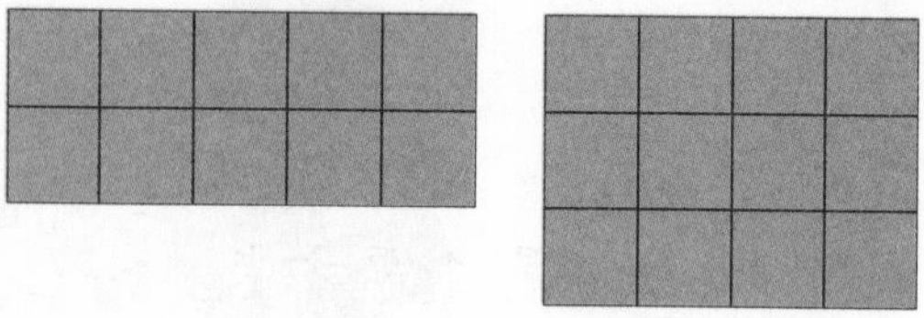

用哪种图形作面积单位最合适？为什么？

做一做

下面图形的面积各是多少？

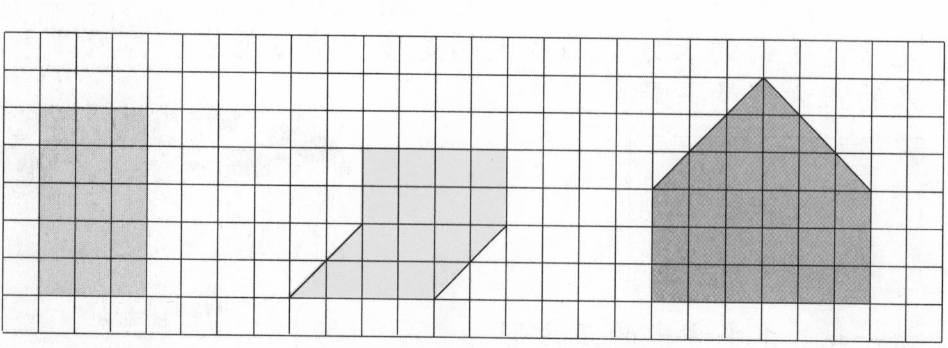

____个　　____个　　____个

3 常用的面积单位有平方厘米（cm^2）、平方分米（dm^2）和平方米（m^2）。

（1）边长 1 厘米的正方形，
面积是 1 平方厘米。

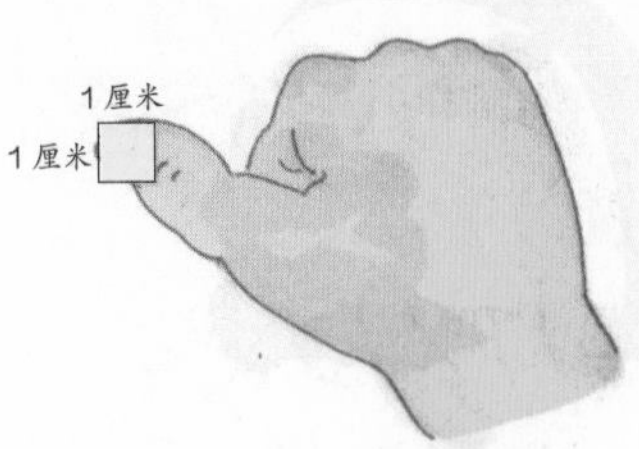

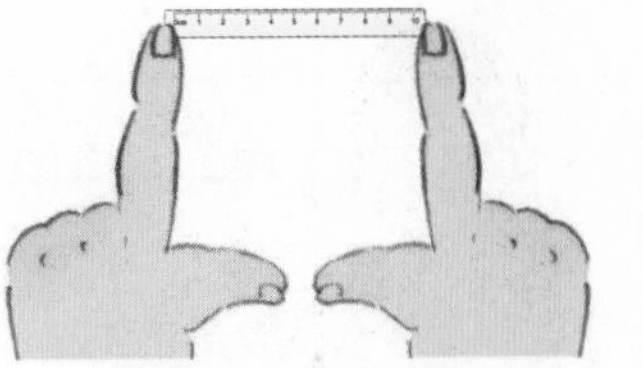

（2）边长 1 分米的正方形，
面积是 1 平方分米。

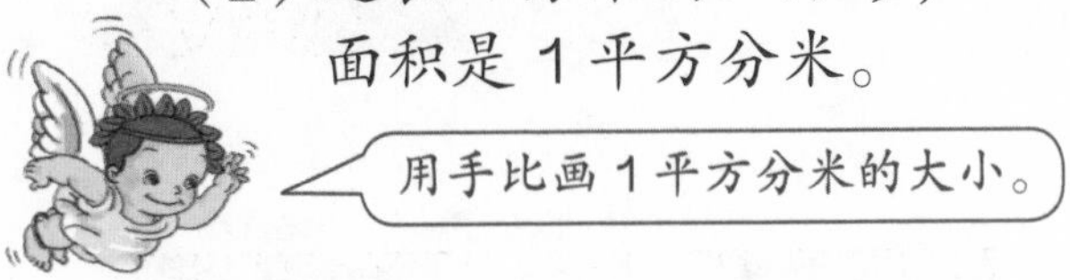

（3）边长 1 米的正方形，
面积是 1 平方米。

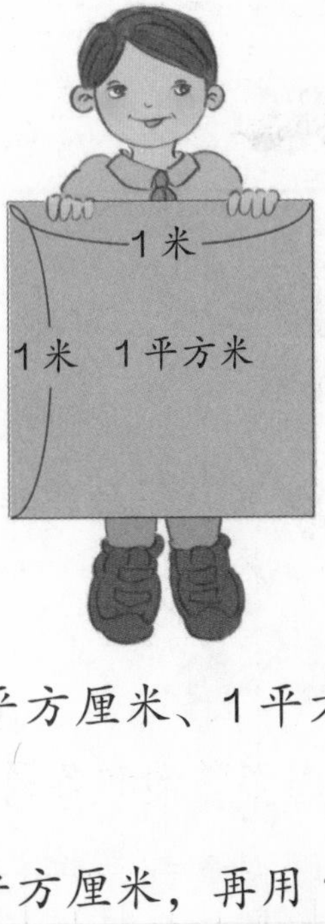

做一做

1. 你周围哪些物体的一个面分别接近 1 平方厘米、1 平方分米和 1 平方米？

2. 先估计下面的长方形面积大约是多少平方厘米，再用 1 平方厘米的正方形量一量。

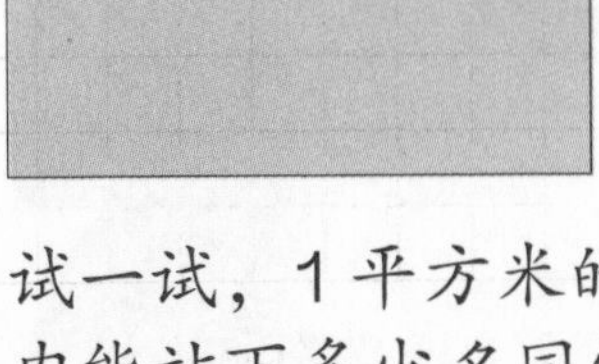

3. 试一试，1 平方米的正方形内能站下多少名同学。

练习十四

1. 先用红笔描出每个图形的一周，再涂色表示出它们的面积。

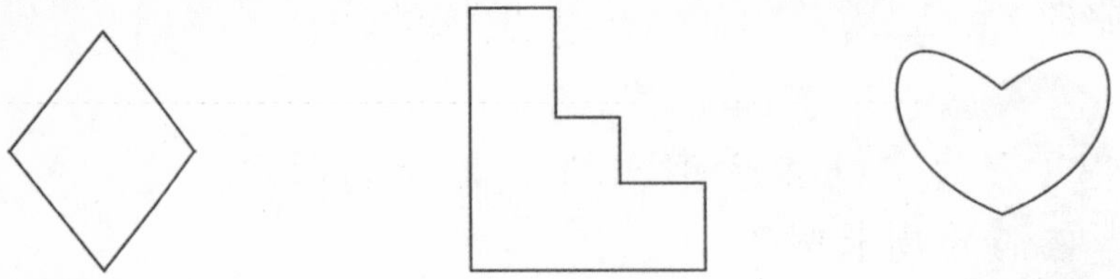

2. 下面是从同一幅中国地图上描出的三个省（直辖市）的轮廓图，比较这三个省（直辖市）的面积大小。

3. 下面三个图形中，哪个面积最大？哪个面积最小？（每个□代表 1 平方厘米。）

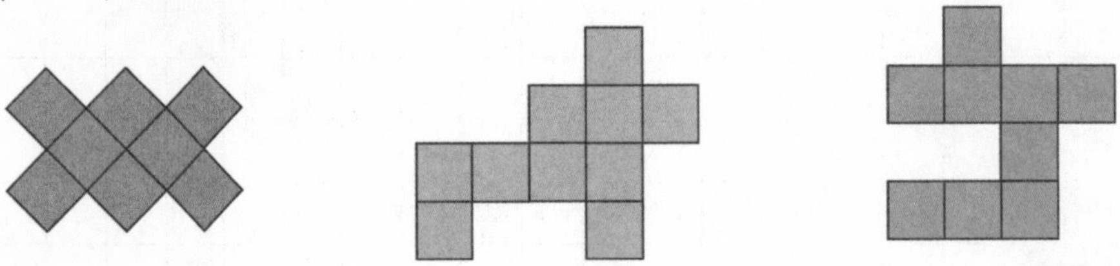

4. 说一说测量扑克牌、课桌面、教室和操场的面积，分别选用什么面积单位比较合适。

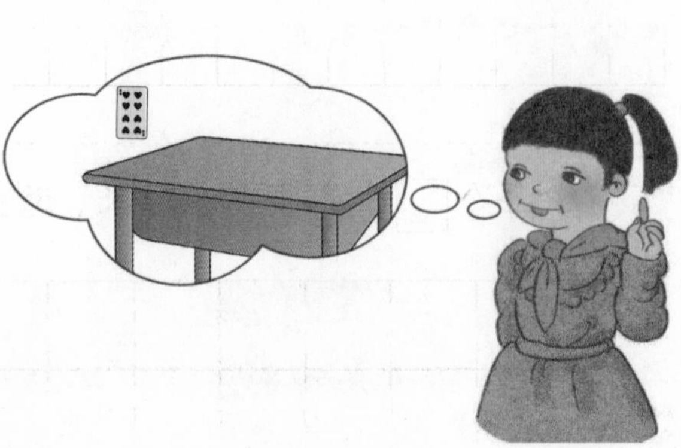

5. 在横线上填写适当的单位名称。

黑板长 4 ______　　　　一枚邮票的面积是 4 ______

小明身高 128 ______　　一块手帕的面积是 4 ______

小华腰围 6 ______　　　一块黑板的面积是 4 ______

6. 用四个 1 平方厘米的正方形，拼成下面的图形。它们的面积各是多少？它们的周长呢？

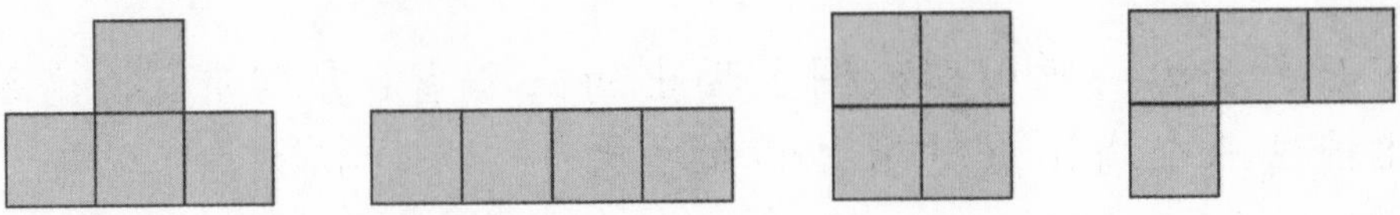

7. 在方格纸上画几个长方形或正方形，使它们的周长都相等，然后比较一下它们的面积。你能发现什么？

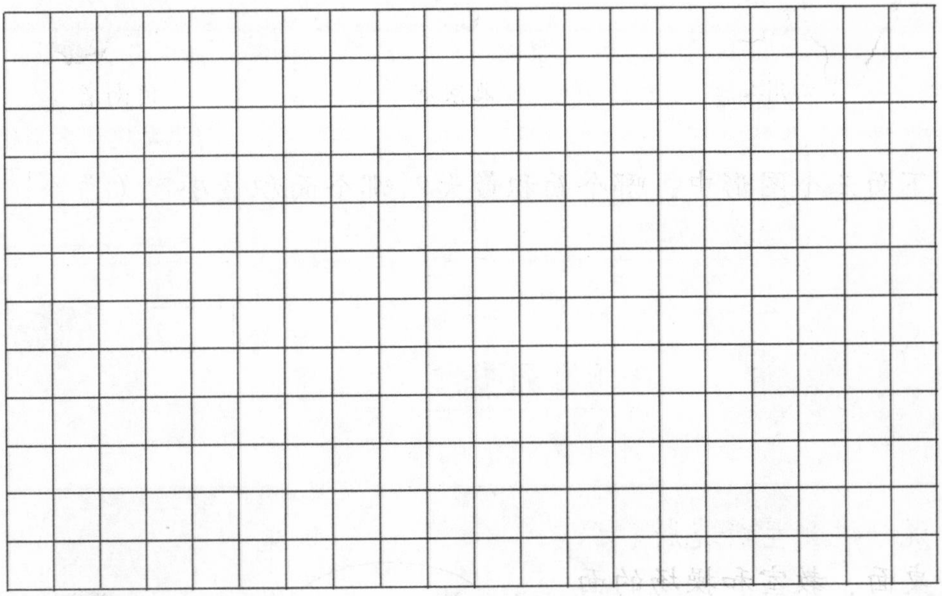

8. 下图中每个□代表 1 平方厘米，说出每个图形的面积各是多少。

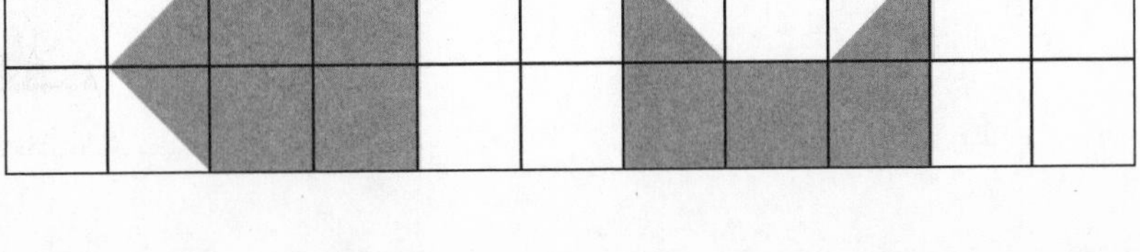

长方形、正方形面积的计算（一）

4 （1）一个长方形长 5 厘米、宽 3 厘米。你能求出它的面积吗？

每行摆 5 个，可以摆 3 行。它的面积是 5×3 等于 15 平方厘米。
正好摆了 15 个 1 平方厘米的正方形。它的面积是 15 平方厘米。

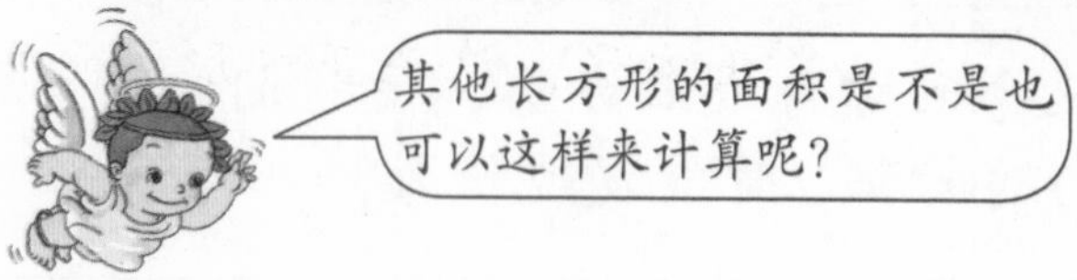
其他长方形的面积是不是也可以这样来计算呢？

（2）任取几个 1 平方厘米的正方形，拼成不同的长方形。边操作，边填表。

长 / 厘米					
宽 / 厘米					
面积 / 平方厘米					

你发现长方形的面积与它的长和宽有什么关系吗？

长方形的面积 = 长 × 宽

（3）先量一量，再计算它们的面积。

长 = ________　　　　长 = ________

宽 = ________　　　　宽 = ________

面积 = ________　　　　面积 = ________

正方形是长和宽相等的长方形，所以……

正方形的面积 = 边长 × 边长

做一做

一张长方形的A4纸(如下图)，它的面积是多少平方厘米?

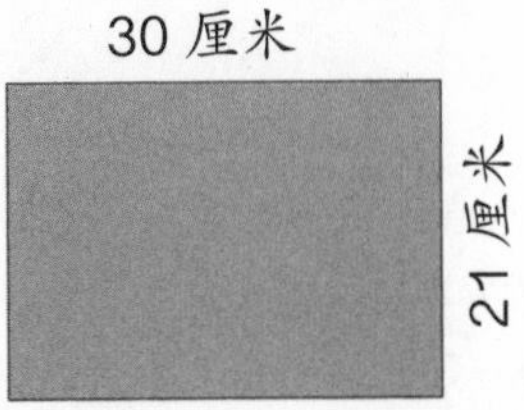
30 厘米
21 厘米

如果从这张纸上剪下一个最大的正方形，这个正方形的面积是多少?

5 数学书封面的长大约是 26 厘米，宽大约是 18 厘米。数学书封面的面积大约是多少平方厘米?

____

利用数学书封面的面积，估计一下你的课桌面的面积。

做一做

同桌合作，先测量走一步有多长，再利用步长测出教室的长和宽，估计教室的面积。

练习十五

1. 计算下面各图形的面积。（单位：厘米）

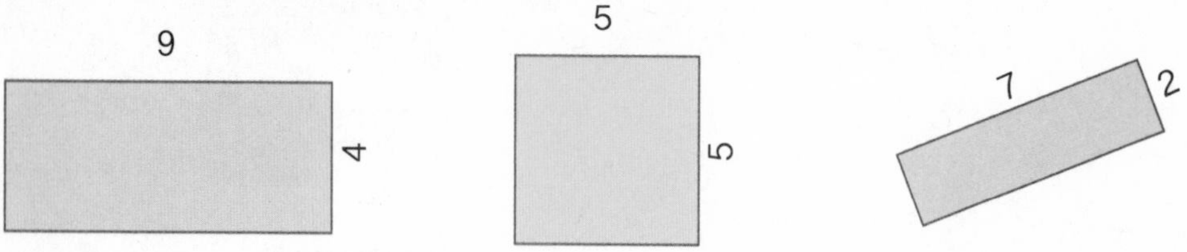

2. 篮球场的长是28米，宽是15米。它的面积是多少平方米？半个场地是多少平方米？

3. 一张长方形的餐桌，桌面长14分米、宽9分米。要配上同样大小的玻璃，这块玻璃的面积应该是多少平方分米？

4. 先估计黑板的面积，再测量它的长和宽，并计算面积。

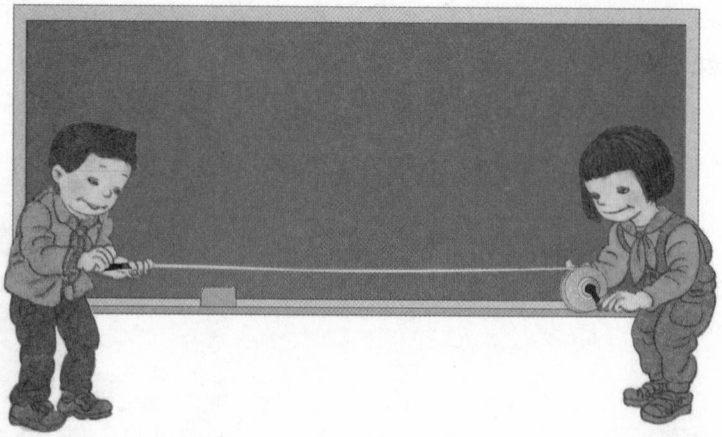

5. 找一块正方形的手帕。先估计它的面积，再测量它的边长，算出它的面积。

6. 先估计右面长方形的周长和面积，再测量并计算。

7. 一个长方形花坛，长 50 米、宽 25 米。

（1）求这个花坛的占地面积。

（2）在花坛的四周围一圈围栏，求围栏的长度。

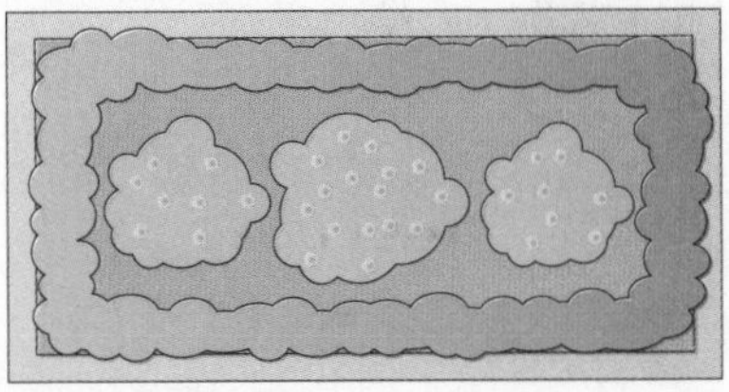

8. 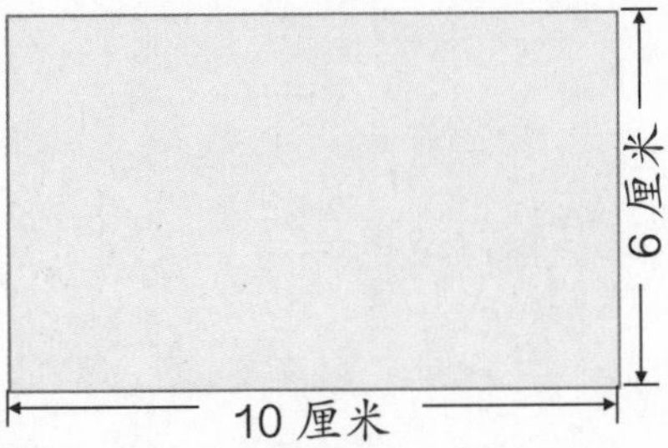

小林从左边的长方形纸上剪下一个最大的正方形。剩下部分是什么图形？它的面积是多少平方厘米？

9. 花园里有一个正方形的荷花池。它的周长是 64 米，面积是多少平方米？

10. 在一张边长是 10 厘米的正方形纸中，剪去一个长 6 厘米、宽 4 厘米的长方形。小明想到了三种方法（如下图）。剩下部分的面积是多少？剩下部分的周长呢？

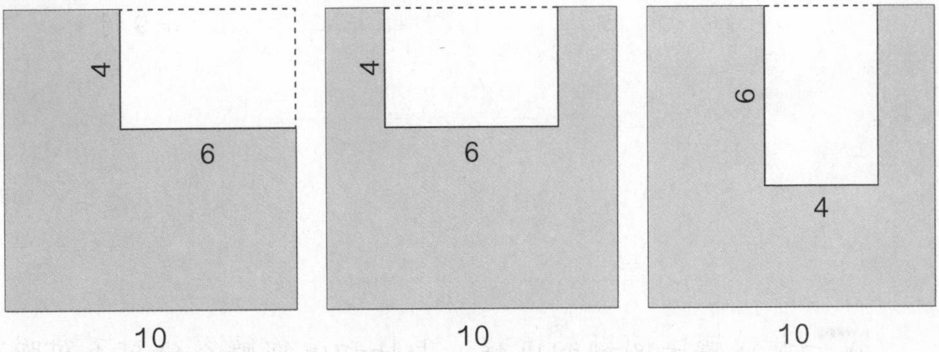

面积单位间的进率

我们知道，相邻两个常用的长度单位之间的进率是 10。那么，相邻两个常用的面积单位之间的进率是多少呢？

6 下面这个大正方形的面积是多少？

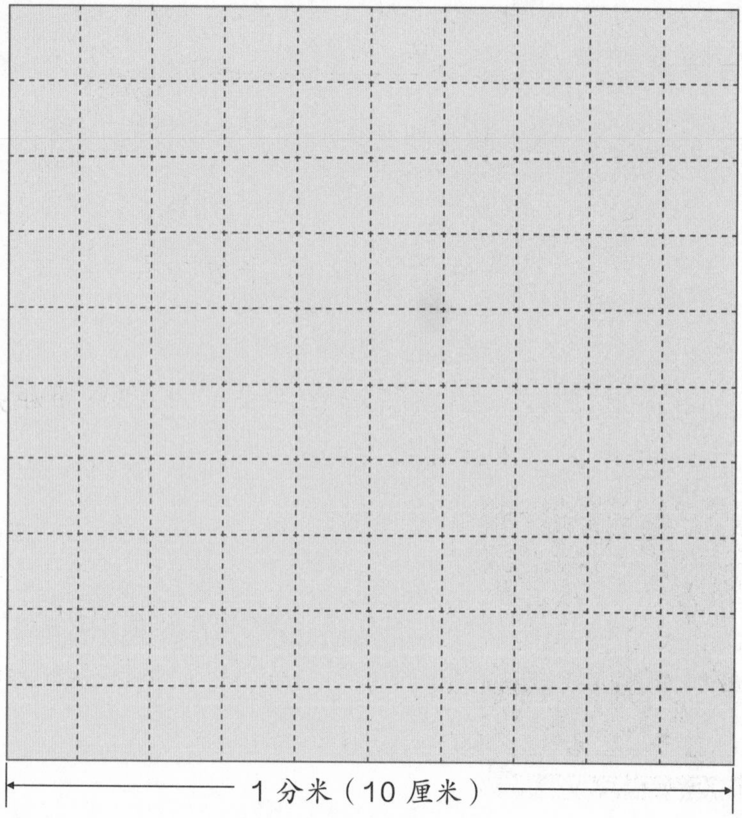
1 分米（10 厘米）

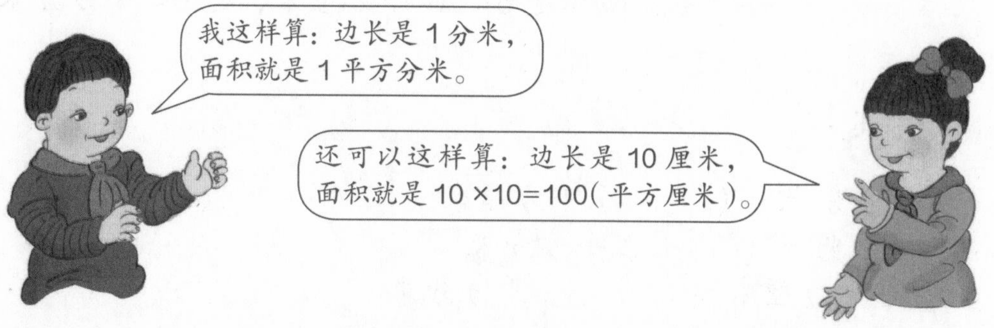
我这样算：边长是 1 分米，面积就是 1 平方分米。
还可以这样算：边长是 10 厘米，面积就是 10 ×10=100（平方厘米）。

1 平方分米 =100 平方厘米

想一想：1 平方米等于多少平方分米？

表示 1 平方分米

仿照上面的方法说一说。

1 平方米 =（　）平方分米

7 下图是一块正方形的交通标志牌，标志牌的面积是多少平方厘米？合多少平方分米？

80 厘米

80×80=6400（平方厘米）

6400 平方厘米 = 64 平方分米

答：面积是 6400 平方厘米，合 64 平方分米。

做一做

1. 8平方分米 =（　　　）平方厘米
   5平方米 =（　　　）平方分米
   300 平方厘米 =（　　　）平方分米

2. 一幅长方形的宣传画长 20 米、宽 4 米。面积是多少平方米？合多少平方分米？

8

正方形地砖的边长是 3 分米。
客厅的长是 6 米，宽是 3 米。

铺客厅地面一共要用多少块地砖?

阅读与理解

我们知道了客厅的长和宽。

地砖是正方形的，边长是……

要解决的问题是……

分析与解答

我先算出客厅地面的面积，再除以每块地砖的面积，就是……

6×3=18（平方米）

18 平方米=1800 平方分米

3×3=9（平方分米）

1800÷9=200（块）

我先分别算出客厅的长和宽可以铺多少块地砖，然后用乘法计算出……

6 米=60 分米

3 米=30 分米

60÷3=20（块）

30÷3=10（块）

20×10=200（块）

回顾与反思

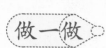

答：一共要用 200 块地砖。

做一做

陈俊家的厨房地面长 3 米、宽 2 米。用面积是 4 平方分米的正方形地砖铺厨房地面，需要多少块?

练习十六

1. 2 平方米 =（　　）平方分米
   9 平方分米 =（　　）平方厘米
   400 平方分米 =（　　）平方米
   100 厘米 =（　　）分米

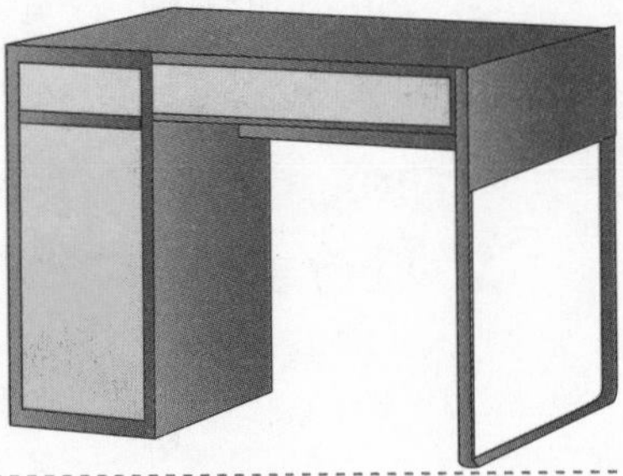

2. 右图所示写字台的台面，长是 13 分米，宽是 6 分米。它的面积是多少？合多少平方厘米？

3. 观察周围物体表面的长方形和正方形。先估计它们的面积，再测量并计算。

物体名称	面积（估计）	长	宽	面积（计算）

4.

用面积是 4 平方分米的正方形地砖铺人行道，需要多少块？

5. 在横线上填写适当的单位。

大树高 16________ 蜡笔长 1________

字典厚 5________ 学校占地面积是 9000________

6. 同学们出的墙报长 18 分米、宽 12 分米。墙报的面积是多少平方分米？在墙报四周贴一条花边，花边的总长是多少分米？

7. 教室前面的墙壁，长 6 米、宽 3 米。墙上有一块黑板，面积是 3 平方米。现在要粉刷这面墙壁，要粉刷的面积是多少平方米？

8. 一辆洒水车每分钟行驶 200 米，洒水的宽度是 8 米。洒水车行驶 6 分钟，能给多大的地面洒上水？

9. 判断下面各题，正确的画“√”，错误的画“×”。

（1）6 平方米 = 60 平方分米。（　）

（2）边长 4 米的正方形，它的周长和面积相等。（　）

（3）用 8 个正方形拼成一个长方形，只有一种拼法。（　）

（4）用 8 个 1 平方分米的正方形拼成的图形，它们的面积都是 8 平方分米。（　）

10. 有两个一样大小的长方形，长都是 36 厘米，宽都是 18 厘米。

（1）拼成一个正方形，它的周长是多少？

（2）拼成一个长方形，它的周长是多少？

（3）拼成的两个图形，面积相等吗？是多少？

11. 下面每个 □ 代表 1 平方厘米。在方格纸上，画出面积是 16 平方厘米的长方形，你能画几个？算出它们的周长，填入表中。

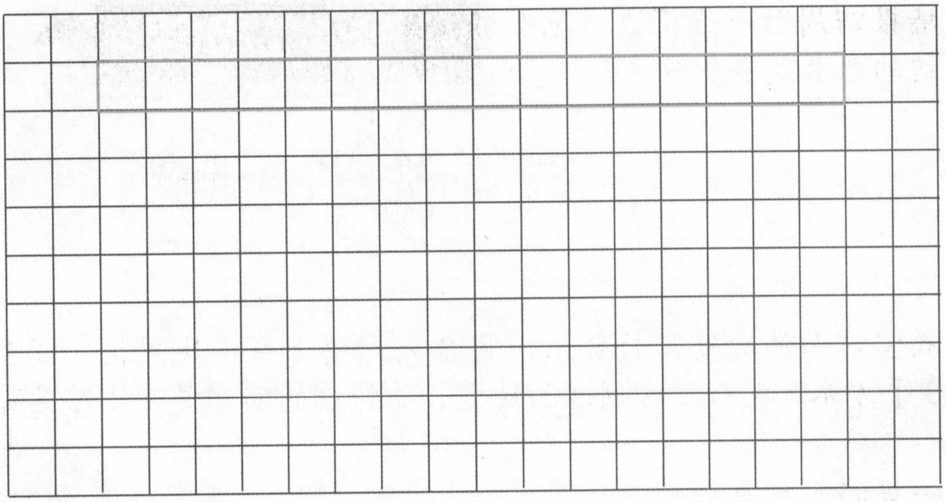

长 / 厘米	宽 / 厘米	面积 / 平方厘米	周长 / 厘米
16	1	16	34

本单元结束了，你想说些什么？

我知道了 1 厘米和 1 平方厘米不一样。
我会计算教室的面积了。

成长小档案

★★★★★

6 年、月、日

年、月、日

年、月、日是常用的时间单位。

2011

1月

日	一	二	三	四	五	六
						1
2	3	4	5	6	7	8
9	10	11	12	13	14	15
16	17	18	19	20	21	22
23	24	25	26	27	28	29
30	31					

2月

日	一	二	三	四	五	六
		1	2	3	4	5
6	7	8	9	10	11	12
13	14	15	16	17	18	19
20	21	22	23	24	25	26
27	28					

3月

日	一	二	三	四	五	六
		1	2	3	4	5
6	7	8	9	10	11	12
13	14	15	16	17	18	19
20	21	22	23	24	25	26
27	28	29	30	31		

4月

日	一	二	三	四	五	六
					1	2
3	4	5	6	7	8	9
10	11	12	13	14	15	16
17	18	19	20	21	22	23
24	25	26	27	28	29	30

5月

日	一	二	三	四	五	六
1	2	3	4	5	6	7
8	9	10	11	12	13	14
15	16	17	18	19	20	21
22	23	24	25	26	27	28
29	30	31				

6月

日	一	二	三	四	五	六
			1	2	3	4
5	6	7	8	9	10	11
12	13	14	15	16	17	18
19	20	21	22	23	24	25
26	27	28	29	30		

7月

日	一	二	三	四	五	六
					1	2
3	4	5	6	7	8	9
10	11	12	13	14	15	16
17	18	19	20	21	22	23
24	25	26	27	28	29	30
31						

8月

日	一	二	三	四	五	六
	1	2	3	4	5	6
7	8	9	10	11	12	13
14	15	16	17	18	19	20
21	22	23	24	25	26	27
28	29	30	31			

9月

日	一	二	三	四	五	六
				1	2	3
4	5	6	7	8	9	10
11	12	13	14	15	16	17
18	19	20	21	22	23	24
25	26	27	28	29	30	

10月

日	一	二	三	四	五	六
						1
2	3	4	5	6	7	8
9	10	11	12	13	14	15
16	17	18	19	20	21	22
23	24	25	26	27	28	29
30	31					

11月

日	一	二	三	四	五	六
		1	2	3	4	5
6	7	8	9	10	11	12
13	14	15	16	17	18	19
20	21	22	23	24	25	26
27	28	29	30			

12月

日	一	二	三	四	五	六
				1	2	3
4	5	6	7	8	9	10
11	12	13	14	15	16	17
18	19	20	21	22	23	24
25	26	27	28	29	30	31

年历上标注了哪些特别的日子？你还经历了哪些特别的日子？

1 关于年、月、日，你知道些什么？

2012

1月

日	一	二	三	四	五	六
1	2	3	4	5	6	7
8	9	10	11	12	13	14
15	16	17	18	19	20	21
22	23	24	25	26	27	28
29	30	31				

2月

日	一	二	三	四	五	六
			1	2	3	4
5	6	7	8	9	10	11
12	13	14	15	16	17	18
19	20	21	22	23	24	25
26	27	28	29			

3月

日	一	二	三	四	五	六
				1	2	3
4	5	6	7	8	9	10
11	12	13	14	15	16	17
18	19	20	21	22	23	24
25	26	27	28	29	30	31

4月

日	一	二	三	四	五	六
1	2	3	4	5	6	7
8	9	10	11	12	13	14
15	16	17	18	19	20	21
22	23	24	25	26	27	28
29	30					

5月

日	一	二	三	四	五	六
		1	2	3	4	5
6	7	8	9	10	11	12
13	14	15	16	17	18	19
20	21	22	23	24	25	26
27	28	29	30	31		

6月

日	一	二	三	四	五	六
					1	2
3	4	5	6	7	8	9
10	11	12	13	14	15	16
17	18	19	20	21	22	23
24	25	26	27	28	29	30

7月

日	一	二	三	四	五	六
1	2	3	4	5	6	7
8	9	10	11	12	13	14
15	16	17	18	19	20	21
22	23	24	25	26	27	28
29	30	31				

8月

日	一	二	三	四	五	六
			1	2	3	4
5	6	7	8	9	10	11
12	13	14	15	16	17	18
19	20	21	22	23	24	25
26	27	28	29	30	31	

9月

日	一	二	三	四	五	六
						1
2	3	4	5	6	7	8
9	10	11	12	13	14	15
16	17	18	19	20	21	22
23	24	25	26	27	28	29
30						

10月

日	一	二	三	四	五	六
	1	2	3	4	5	6
7	8	9	10	11	12	13
14	15	16	17	18	19	20
21	22	23	24	25	26	27
28	29	30	31			

11月

日	一	二	三	四	五	六
				1	2	3
4	5	6	7	8	9	10
11	12	13	14	15	16	17
18	19	20	21	22	23	24
25	26	27	28	29	30	

12月

日	一	二	三	四	五	六
						1
2	3	4	5	6	7	8
9	10	11	12	13	14	15
16	17	18	19	20	21	22
23	24	25	26	27	28	29
30	31					

观察 2011 年、2012 年的年历，记录每月的天数。

天数 月份 / 年份	1	2	3	4	5	6	7	8	9	10	11	12
2011												
2012												

（1）一年有（　）个月。

（2）有 31 天的月份是：__________________，这些月份是大月。

有 30 天的月份是：__________________，这些月份是小月。

找一些其他年份的年历观察一下，你发现了什么？

每年都有 12 个月……
2 月的天数比较特别。

做一做

你的生日是几月几日？你父母的生日是几月几日？用彩笔在上面的年历上圈出来。

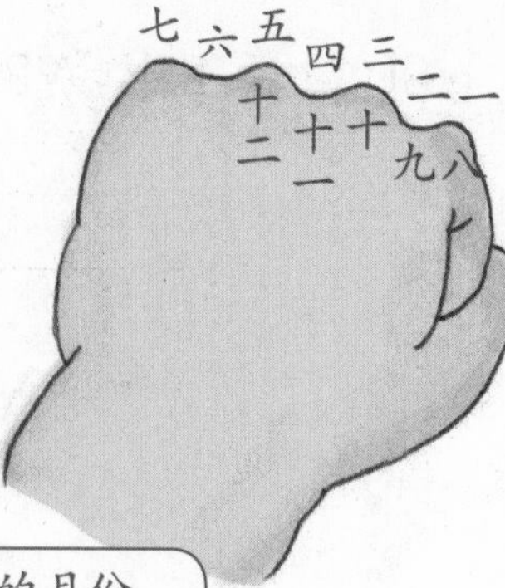

凸起的地方每月是 31 天，凹下的地方每月是 30 天（2 月除外）。

下面的歌诀，可以帮我们记住大月的月份。

一、三、五、七、八、十、腊*，三十一天永不差。

做一做

在下面的空白月历上，填出你生日的月份和今年这个月的各个日子，并圈出有特别意义的日子。

	日	一	二	三	四	五	六
（　）月							

班里还有哪些同学的生日也在这个月？请把他们的生日记录在这张月历卡上。

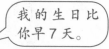

你知道吗？

春雨惊春清谷天，夏满芒夏暑相连，
秋处露秋寒霜降，冬雪雪冬小大寒。
这是“二十四节气歌”的一部分，你能在年历上找到这些节气吗？

---

*腊，一般指农历十二月，在这里代表公历十二月。

2 2011年2月和2012年2月，这两个月的天数一样吗？

2011年

日	一	二	三	四	五	六
		1	2	3	4	5
6	7	8	9	10	11	12
13	14	15	16	17	18	19
20	21	22	23	24	25	26
27	28					

2012年

日	一	二	三	四	五	六
			1	2	3	4
5	6	7	8	9	10	11
12	13	14	15	16	17	18
19	20	21	22	23	24	25
26	27	28	29			

2月，有28天的是平年，有29天的是闰年*。平年全年有（　　）天，闰年全年有（　）天。

做一做

观察1997年～2008年2月的天数。你发现了什么？

1997年2月

日	一	二	三	四	五	六
						1
2	3	4	5	6	7	8
9	10	11	12	13	14	15
16	17	18	19	20	21	22
23	24	25	26	27	28	

1998年2月

日	一	二	三	四	五	六
1	2	3	4	5	6	7
8	9	10	11	12	13	14
15	16	17	18	19	20	21
22	23	24	25	26	27	28

1999年2月

日	一	二	三	四	五	六
	1	2	3	4	5	6
7	8	9	10	11	12	13
14	15	16	17	18	19	20
21	22	23	24	25	26	27
28						

2000年2月

日	一	二	三	四	五	六
		1	2	3	4	5
6	7	8	9	10	11	12
13	14	15	16	17	18	19
20	21	22	23	24	25	26
27	28	29				

2001年2月

日	一	二	三	四	五	六
				1	2	3
4	5	6	7	8	9	10
11	12	13	14	15	16	17
18	19	20	21	22	23	24
25	26	27	28			

2002年2月

日	一	二	三	四	五	六
					1	2
3	4	5	6	7	8	9
10	11	12	13	14	15	16
17	18	19	20	21	22	23
24	25	26	27	28		

2003年2月

日	一	二	三	四	五	六
						1
2	3	4	5	6	7	8
9	10	11	12	13	14	15
16	17	18	19	20	21	22
23	24	25	26	27	28	

2004年2月

日	一	二	三	四	五	六
1	2	3	4	5	6	7
8	9	10	11	12	13	14
15	16	17	18	19	20	21
22	23	24	25	26	27	28
29						

2005年2月

日	一	二	三	四	五	六
		1	2	3	4	5
6	7	8	9	10	11	12
13	14	15	16	17	18	19
20	21	22	23	24	25	26
27	28					

2006年2月

日	一	二	三	四	五	六
			1	2	3	4
5	6	7	8	9	10	11
12	13	14	15	16	17	18
19	20	21	22	23	24	25
26	27	28				

2007年2月

日	一	二	三	四	五	六
				1	2	3
4	5	6	7	8	9	10
11	12	13	14	15	16	17
18	19	20	21	22	23	24
25	26	27	28			

2008年2月

日	一	二	三	四	五	六
					1	2
3	4	5	6	7	8	9
10	11	12	13	14	15	16
17	18	19	20	21	22	23
24	25	26	27	28	29	

（1）把上面月历中的闰年圈出来。
（2）2008年是闰年，（　）年后，即（　　）年又是闰年。
（3）今年是（　）年，上一个闰年是（　）年，下一个闰年是（　）年。

你知道吗？

我总是绕着太阳转动，转一圈大约要用365天5时48分46秒。
太阳
地球

公历中，将一年定为365天（平年）。这样，每过4年差不多就要少记1天，把这1天加在2月里，这一年就有366天（闰年）。我国古代就知道一年有365天零$\frac{1}{4}$天。

*公历年份是4的倍数的一般都是闰年；但公历年份是100的倍数时，必须是400的倍数才是闰年。如1900年不是闰年，而2000年是闰年。

练习十七

1\.

2013年4月	日	一	二	三	四	五	六
		1	2	3	4 清明	5	6
	7	8	9	10	11	12	13
	14	15	16	17	18	19	20 谷雨
	21	22	23	24	25	26	27
	28	29	30				

儿童画展开始　儿童画展结束　妈妈出差

（1）儿童画展从星期几开始？到星期几结束？一共展出几天？
（2）5月5日妈妈出差回来，回来那天是星期几？共出差几天？

2\.

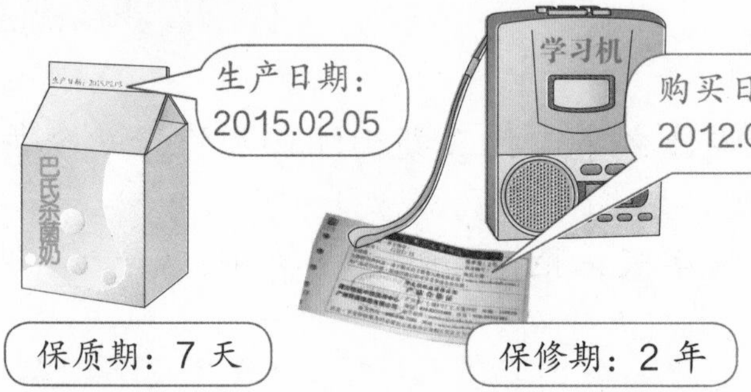

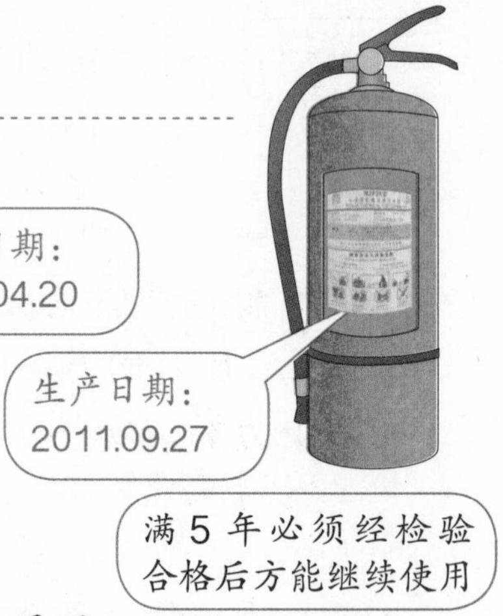

（1）2015年2月14日早晨，牛奶还能喝吗？
（2）学习机今天坏了，在保修期内吗？
（3）灭火器从哪年开始必须进行检验？

3\. 为了算出2014年的天数，平平把12个月每月的天数都加了起来。你是用什么方法计算的？

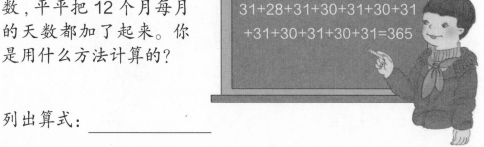

列出算式：________

4. 每个闰年有多少天？是多少个星期零几天？怎样知道算出的星期数对不对呢？

5. 小强满 12 岁的时候，只过了 3 个生日。

6. 暑假计划。

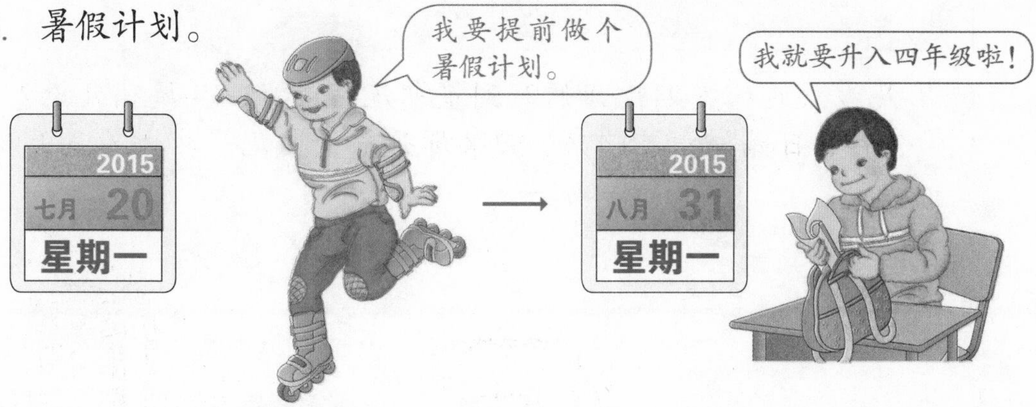

（1）你想在暑假里做些什么事？把日期标注在制作好的今年 7 月、8 月的月历上，和同学们交流一下。

（2）小勇和你在同一所学校，他每周四都去游泳，一个假期他能游几次？

7. 小组内猜一猜，每个人的生日是哪一天。

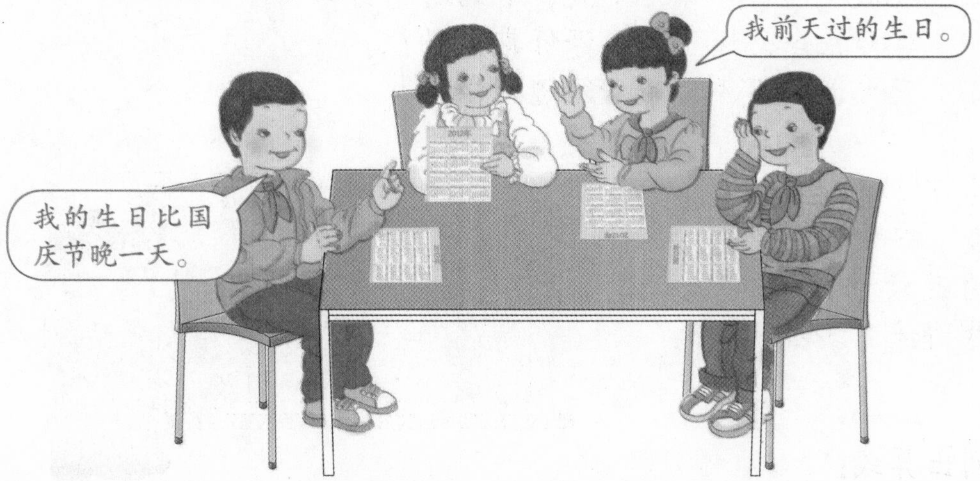

我前天过的生日。
我的生日比国庆节晚一天。

24时计时法

半夜12时也叫0时。

拿出钟表拨一拨，仔细观察。

（1）从0时到中午12时，经过了几小时？
（2）从中午12时再到0时，又经过了几小时？
（3）一天（日）是多少小时？经过一天，钟表上的时针转了几圈？

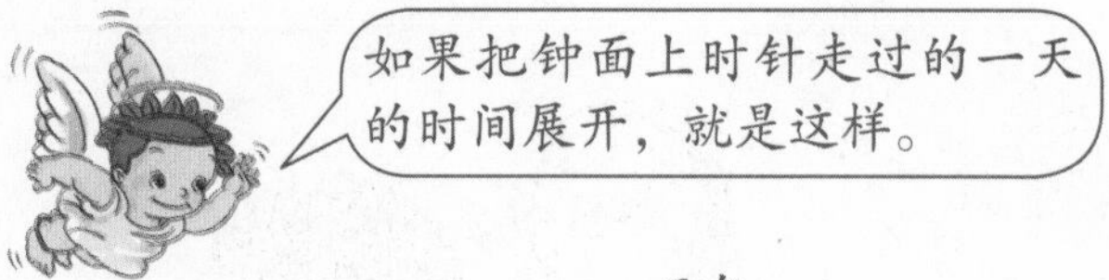

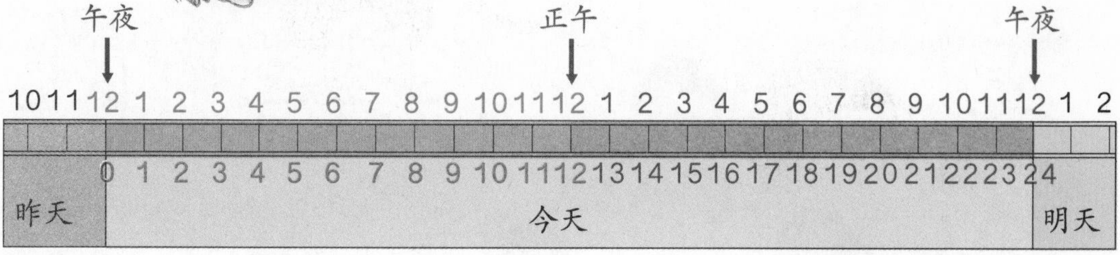

为了简明且不易出错，经常采用从0时到24时的计时法，通常叫做**24时计时法**。

上午9时用9时表示，晚上9时用21时表示。

做一做

1. 生活中哪些地方采用24时计时法？
2. 用24时计时法写出上页中的各个时间。

3

到奶奶家要坐多长时间的火车？

阅读与理解

你了解了哪些信息？

分析与解答

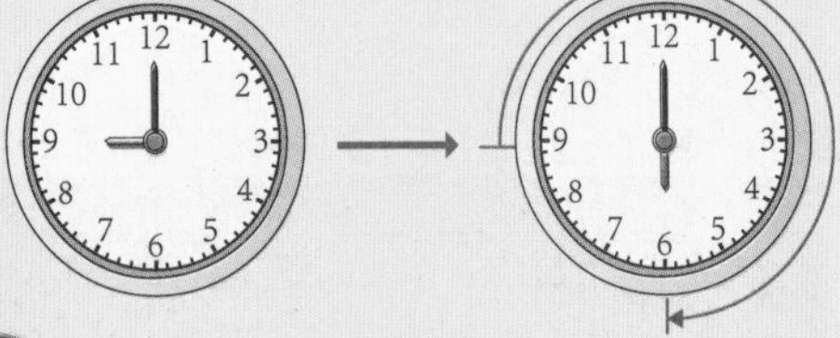

从上午9时到下午6时经过了_____小时。

上午9时→12时→下午6时
3小时+6小时=9小时

下午6时是18:00
18−9=9

到奶奶家要坐_____小时火车。

回顾与反思

说一说你解决问题的过程。怎样知道你解答得对不对呢？

答：______________________________。

做一做

亮亮一共睡了多长时间？

练习十八

1. 照样子填一填。

18:06		23:38	
下午 6:06	晚上 8 时	________	凌晨 4:45

2. 

下午 4 时爸爸开车走了公交车道，他违反交通规则了吗？

爸爸晚上 11 时下火车，要坐 211 路夜班车，有车吗？

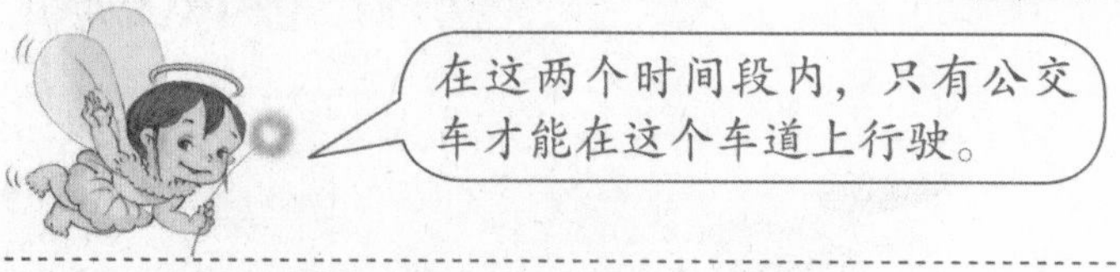

在这两个时间段内，只有公交车才能在这个车道上行驶。

3. 这是一个新设的邮筒，每天取 3 次信，早上 8 时 30 分第一次取信，以后每隔 4 小时取一次信。请标出每次取信的时间。

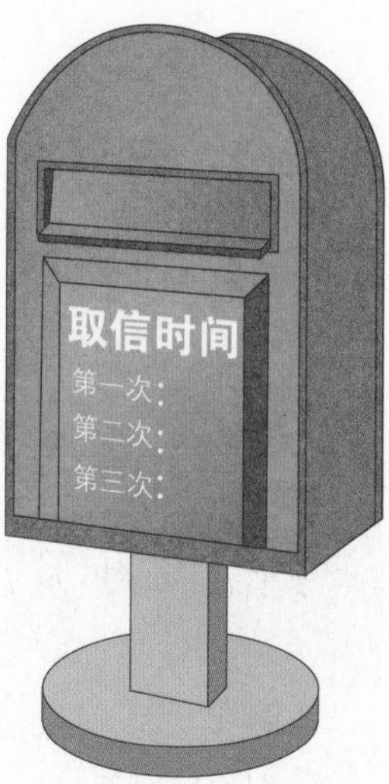

4. 

(1) 春风饭馆晚上的营业时间是从下午 _____ 到晚上 _____。

(2) 一天共营业多长时间？

(3) 你能提出其他数学问题并解答吗？

5. (503－458)×32　　24×3×86　　910－17×35

368÷2÷4　　16×(57÷3)　　85÷5+988

6. 根据右表完成下面各题。

(1) 两个剧场上午共放映(　　)场，下午共放映(　　)场。

(2) 下午最晚结束放映的节目是(　　)。

(3) 小龙下午3时买当天的票，他可以看哪几个节目？

____

____

北京天文馆暑假放映计划

2015年7月11日至8月31日

开放时间　9:00－17:00

剧场名称	节目名称（时长）	放映时间		
数字宇宙剧场	迷离的星际（22分钟）	9:30	12:55	15:05
	大鸟探险记（25分钟）	10:25	14:00	
	太空垃圾（38分钟）	11:20	16:05	
4D科普剧场	小强的故事（25分钟）	9:30	12:20	16:20
	穿越寒武纪（15分钟）	10:30	13:25	15:35
	海龟之旅（12分钟）	11:40	14:35	

7. 同学们看表演。

表演从上午9时开始，预计需要1小时45分钟。带队老师决定11时带同学们乘车离开剧场，合适吗？

8.

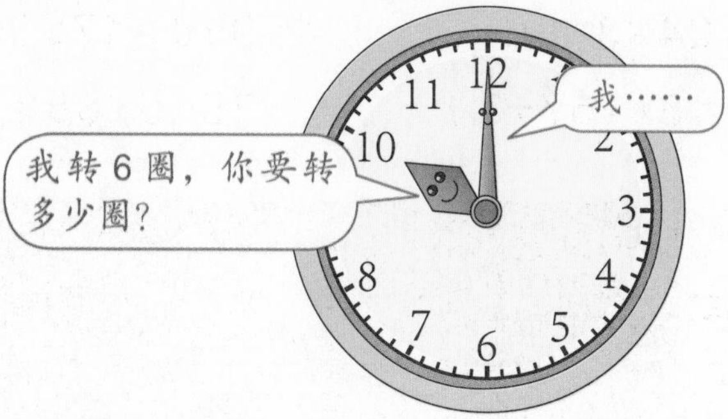

钟面上，如果时针转了6圈，分针要转多少圈？

9. 如果放一天假，你会怎样安排？在下表中写出你的活动计划。

活动项目	开始时间	结束时间	所用时间

10. 从A市开往B市的客车，计划每天最早一班6:15开出，然后每隔2小时发出一班，最晚一班晚上8:15开出。

（1）每天共有几个班次？

（2）请你填出每班次客车的发车时间。

班次								
发车时间								

◎你知道吗？◎

人们把地球相对太阳自转一圈所需要的时间定为一日。

整理和复习

到这一单元为止，我们学习了许多时间单位，请你完成下表。

年	____个月，____个季度。平年____天，闰年____天。
月	31 日：________________各月 30 日：________________各月 28 日：__________月 29 日：__________月
日	____时
时	____分
分	____秒
秒	

如果你对时间方面的其他知识感兴趣，可以到图书馆或网上查一查，并和同学互相交流你所了解的知识。

◎ 你知道吗？◎

明明，元旦快乐！
听！0时的钟声！

聪聪，这里还是31日下午4时呢！

由于地球在绕太阳转动的同时又自西向东自转，地球上各地日出日落的时间不一致，因而全世界不能统一用一个时间。科学家把全球划分为24个时区，每个时区用同一个时间，相邻时区相差一小时。有的国家为了方便，在自己的国度内统一使用首都所在时区的时间。

练 习 十 九

1. 请将北京一日游的时间表填写完整。

8:10

约 2 小时 30 分

10 时 40 分　（ : ）

约 1 小时 30 分

午饭

下午 2 时 20 分　（ : ）

约（ ）小时（ ）分

__午__时__分

约 1 小时

（ : ）

约 1 小时

下午 6 时 30 分　（ : ）

结束

2. （1）用 24 时计时法写出你在学校的作息时间表。
（2）你们学校中午休息时间有多长？
（3）请你结合作息时间表提出一些数学问题并解答。

3. 2012 年 2 月 1 日是星期三，小明 3 月 2 日过生日，这一天是星期几？

4. 圈出闰年。

1994　2016　1900　2010

5.* “2012 年伦敦奥运会开幕式开始的时间是 7 月 27 日 20 时 12 分，也就是北京时间 7 月 28 日 3 时 12 分。”请你查阅相关资料，解释其中的原因。

本单元结束了，你想说些什么？

成长小档案

★★★★★★

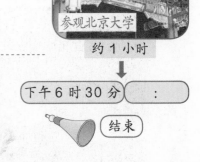

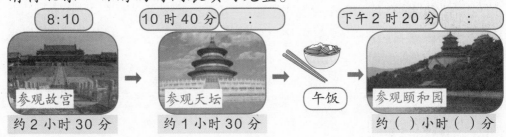

生活中与时间有关的问题真多啊！
我知道了很多时间单位。还有更大和更小的时间单位吗？

制作活动日历

你能用像下面这样的4个小正方体木块（或纸盒）和一个底座制作一个日历吗？

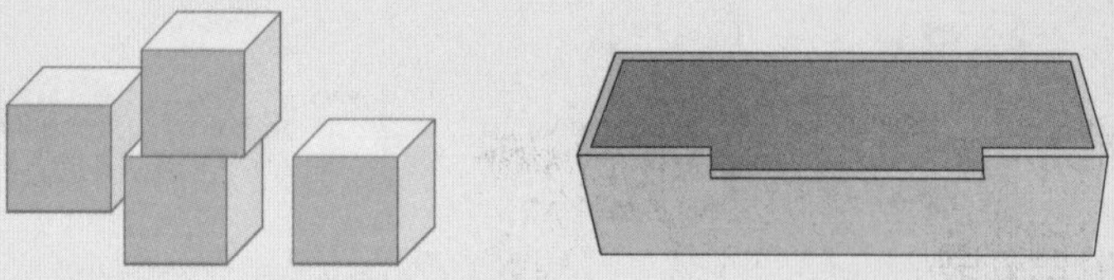

日历要能同时表示出月、日和星期几。

怎样用4个木块表示出12个月、31天、星期一到星期日呢？
用一个木块表示1~12个月，一个木块表示星期几。
另外两个木块表示1~31天。
一个木块只有6个面，怎么表示出12个月呢？
我知道怎么用6个面表示出星期一到星期日了。
两个木块上的数怎样写才能表示出1~31天？

这是我做的。
这是我做的。
周五
周二
3月
4月
4
2
3
7
1
6

7 小数的初步认识

认识小数

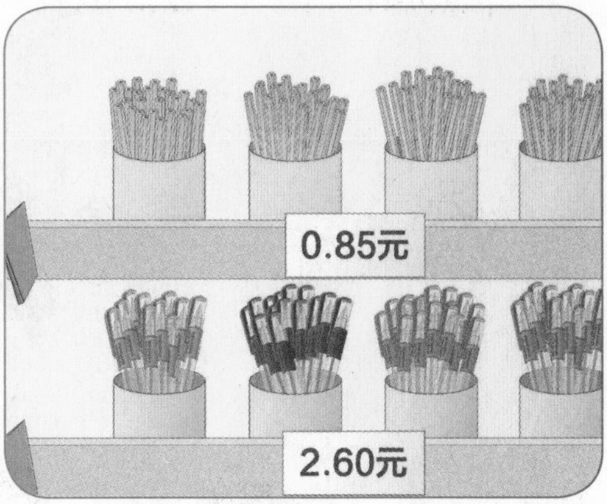

像 3.45、0.85、2.60、36.6、1.2 和 1.5 这样的数叫做**小数**。

3.45 读作：三点四五

↑

小数点

1

只用米作单位怎样表示？
王东身高1米3分米。

把1米平均分成10份，每份是1分米。

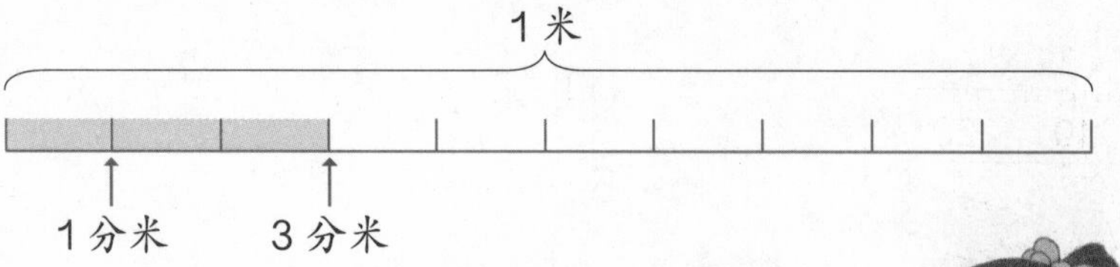

1分米是$\frac{1}{10}$米，还可以写成0.1米；

3分米是$\frac{3}{10}$米，还可以写成0.3米；

1米3分米写成小数是（　　）米。

做一做

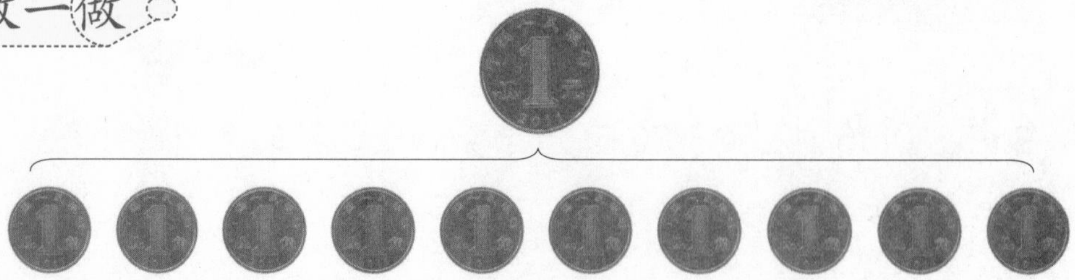

1角是1元的十分之一，是$\frac{1}{10}$元，还可以写成0.1元；

5角是$\frac{5}{10}$元，还可以写成（　　　）元；

8元5角写成小数是（　　　）元。

2 四名男生参加跳高比赛，成绩如下表。

姓名	小明	小刚	小强	小林
成绩 / 米	0.8	1.2	1.1	0.9

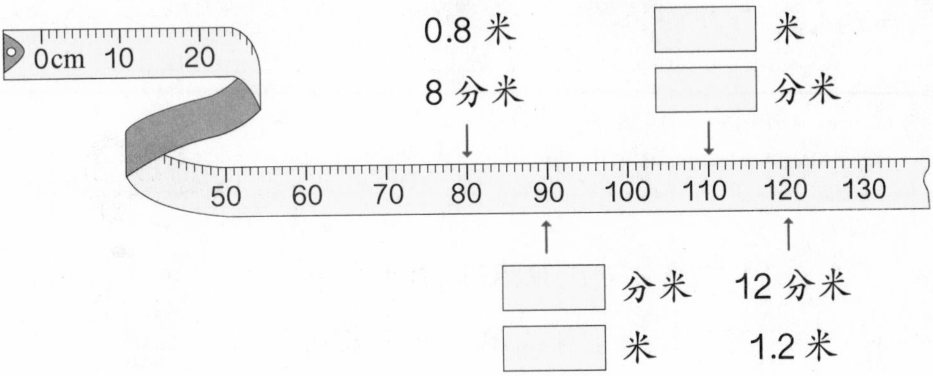

第一名　第二名　第三名　第四名

(　　) > (　　) > (　　) > (　　)

做一做

看图比较下面各组数的大小。

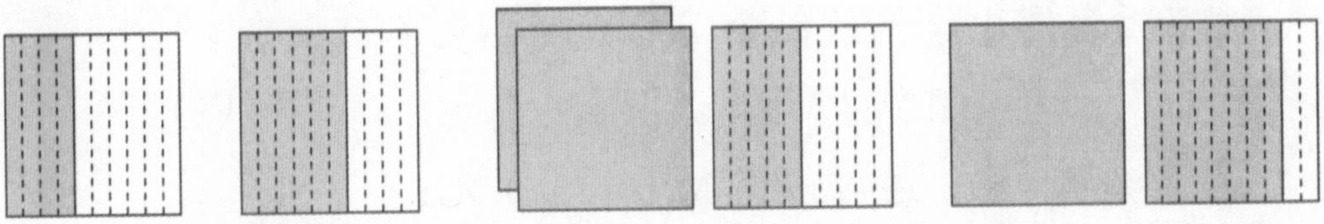

0.4 ◯ 0.6　　　　2.5 ◯ 1.8

练习二十

1. 读出下面的小数。

陆地上最大的动物是非洲象，它的高度可达3.5米，重可达5.25吨。

世界上最大的鸟是非洲鸵鸟，它的高度可达2.75米，一只鸵鸟蛋约重1.5千克。

最高的动物是长颈鹿，它的高度可达5.8米。

2. 看图填上合适的分数或小数。

（1）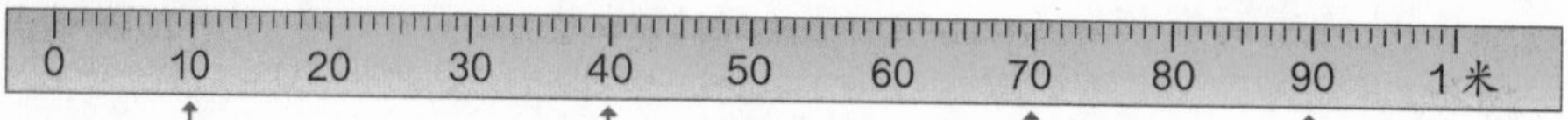

1分米	4分米	7分米	9分米
$\frac{(\quad)}{(\quad)}$米	$\frac{(\quad)}{(\quad)}$米	$\frac{(\quad)}{(\quad)}$米	$\frac{(\quad)}{(\quad)}$米
（ ）米	（ ）米	（ ）米	（ ）米

（2）

（　　）元

（　　）元

3. 把下面各图中涂色的部分用分数和小数表示出来。

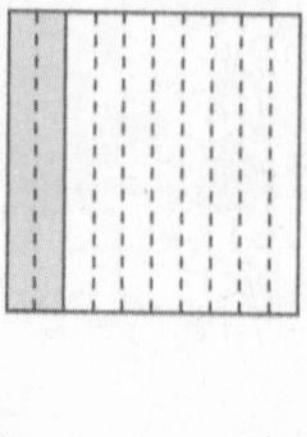

$\frac{(\quad)}{10}$

（ ）

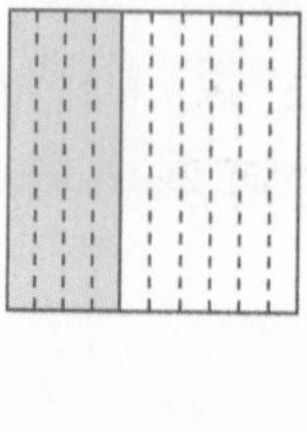

$\frac{(\quad)}{10}$

（ ）

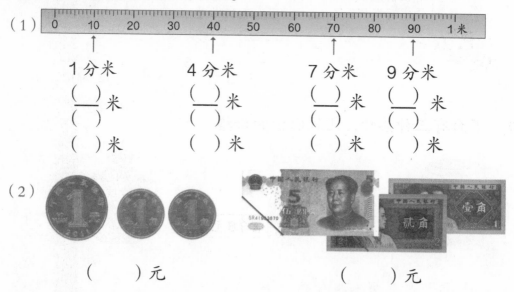

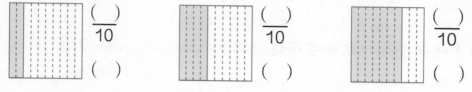

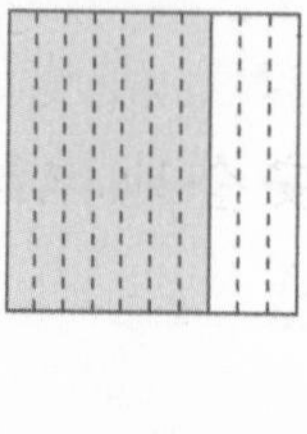

$\frac{(\quad)}{10}$

（ ）

4. 在 □ 里填上小数。

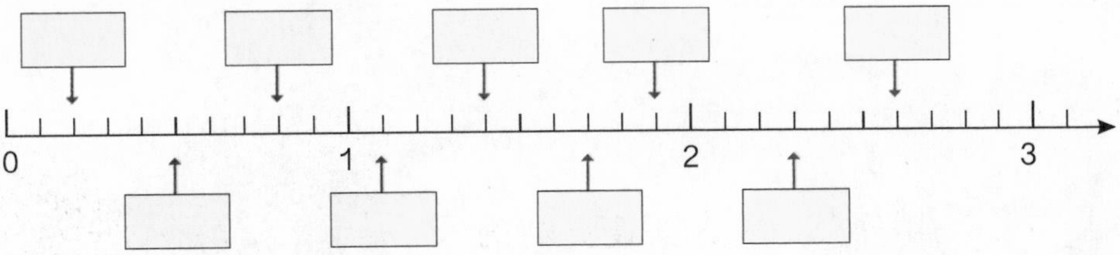

5. 比较下面每组中两个数量的大小。

0.6 元 ◯ 0.9 元　　2.1 元 ◯ 1.9 元　　10 元 ◯ 9.9 元

3 分米 ◯ 2.7 分米　　4.5 米 ◯ 3.8 米　　0.2 米 ◯ 0.7 米

6. 四名学生 50 米跑成绩统计表

姓名	张辉	高林	范刚	王涛
成绩 / 秒	8.2	8.4	8.8	8.6

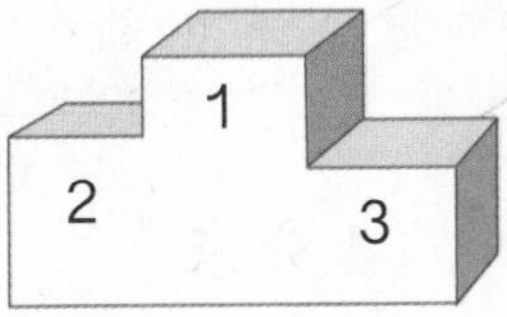

7. 下面有三种茶叶，比较它们的价格。

一个人要将一匹狼、一只羊和一筐菜运到河对岸。他的船太小，一次只能带一样。当他不在时，狼要吃羊、羊会吃菜。怎样乘船才能安全地把这些东西运过河？

简单的小数加、减法

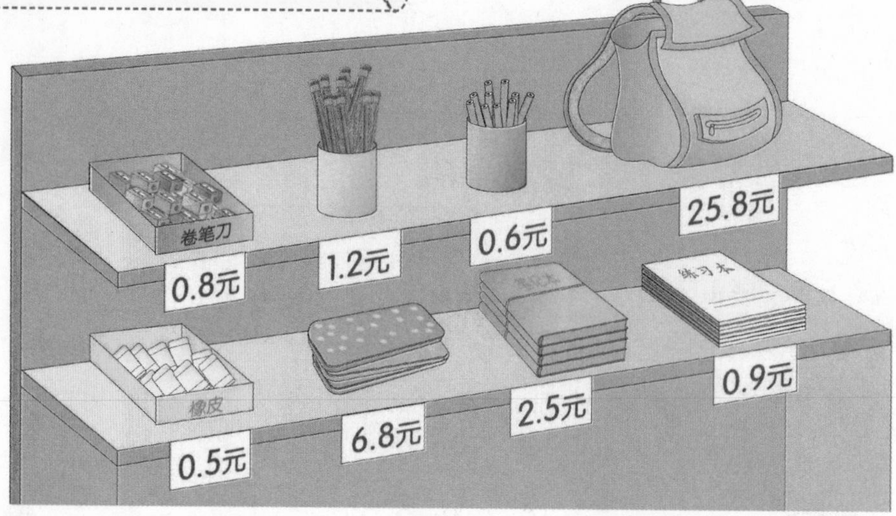

3 （1）买 1 个和 1 支，一共多少钱？比贵多少钱？

8 角加 6 角是 1 元 4 角，就是 1.4 元。
8 角减 6 角等于 2 角。
也可以列竖式计算。

0.8+0.6=____　　0.8−0.6=____

$$\begin{array}{r} 0.8 \\ +\ 0.6 \\ \hline 1.4 \end{array} \qquad \begin{array}{r} 0.8 \\ -\ 0.6 \\ \hline 0.2 \end{array}$$

为什么小数点要对齐？

（2）比贵多少钱？

1.2−0.6=____

$$\begin{array}{r} 1.2 \\ -\ 0.6 \\ \hline 0.6 \end{array}$$

列竖式计算时，要注意什么？

4 观察上页商店图。小丽有 10 元钱，买了 1 个 ，还想买 1 个 和 1 支 ，她的钱够吗？如果把 换成 ，钱够吗？

阅读与理解

说一说知道了哪些信息，要解决……

小丽有 10 元钱……

分析与解答

先算买了文具盒后，小丽还剩多少钱。

10−6.8=3.2（元）

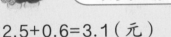

我算 和 一共多少钱。

2.5+0.6=3.1（元）

3.1<3.2，小丽的钱够了。

如果把 换成 ，

2.5+1.2=3.7（元）

3.7>3.2，所以钱不够。

我算买了 后，还剩多少钱。

3.2−2.5=0.7（元）

0.7>0.6，买 够了。

0.7<1.2，买 不够。

回顾与反思

还可以把要买物品的价钱都加起来，看比 10 元多还是少。

不同的方法可以互相检验哦！

做一做

（1）小亮有 2 元钱，能买什么东西？

（2）你还能提出其他数学问题并解答吗？

练习二十一

1.

4.5
1.4
6.2

＋

2.3
0.8
3.9

＝

2.7
4.1
8.4

－

1.5
0.3
7.5

＝

2.

6.8 元

3.4 元

（1）《动脑筋》比《童话故事选》便宜多少元？

（2）各买 1 本书，10 元钱够不够？

3.

$\begin{array}{r} 2.1 \\ +\ 4.8 \\ \hline \end{array}$　$\begin{array}{r} 1.5 \\ +\ 7.5 \\ \hline \end{array}$　$\begin{array}{r} 8.7 \\ -\ 6.3 \\ \hline \end{array}$　$\begin{array}{r} 10.0 \\ -\ 3.6 \\ \hline \end{array}$

$\begin{array}{r} 3.2 \\ -\ 1.7 \\ \hline \end{array}$　$\begin{array}{r} 14.6 \\ +\ 5.7 \\ \hline \end{array}$　$\begin{array}{r} 31.8 \\ -17.2 \\ \hline \end{array}$　$\begin{array}{r} 20.7 \\ +14.9 \\ \hline \end{array}$

4.

货车自重 2.8 吨。它是否超载了？

5. 根据图中的涂色部分写出小数，再比较大小。

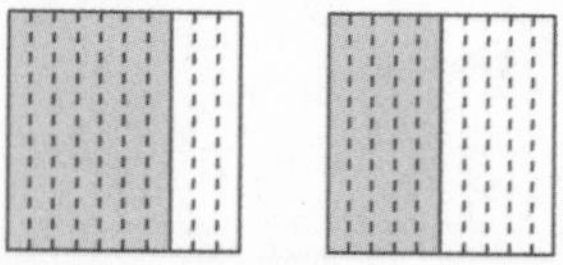

（　）◯（　）

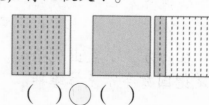

（　）◯（　）

6.

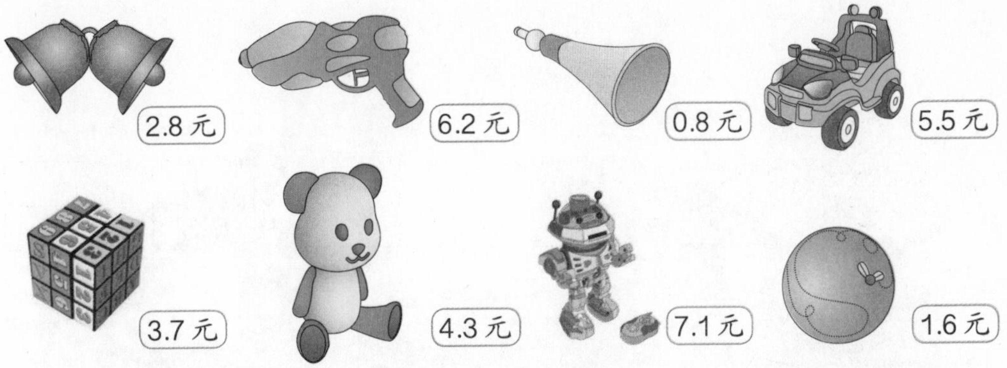

（1）哪种玩具最贵？最贵的比最便宜的玩具贵多少钱？

（2）挑选两个你喜欢的玩具，需要多少钱？

（3）小东有 10 元钱，买了一个  后，还可以买哪两个玩具？

（4）你还能提出一个数学问题并解答吗？

7.

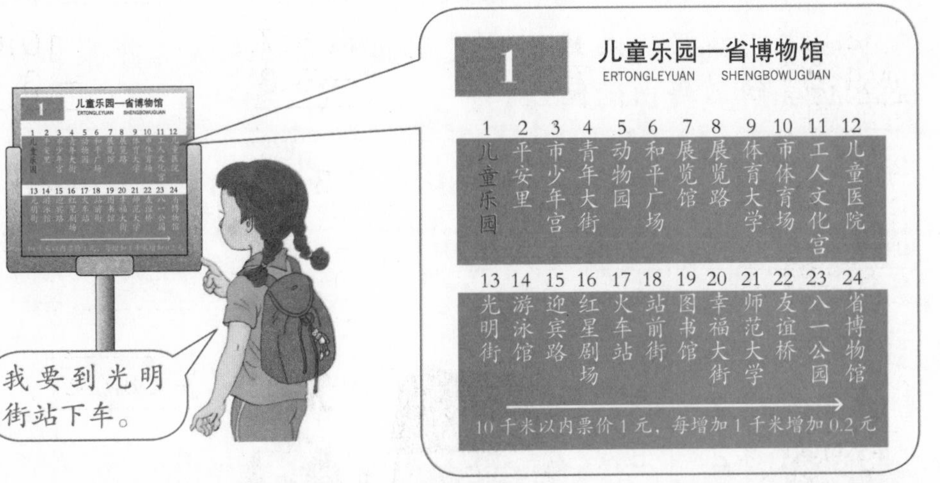

小丽从儿童乐园上车，要到光明街站下车。如果每两站间相距为 1 千米，小丽要付车费多少钱？

你知道吗？

我国古代用小棒表示数。为了表示小数，就把小数点后面的数放低一格。例如，把 3.12 摆成右图所示。这是世界上最早的小数表示方法。

在西方，小数出现很晚。最早使用小圆点作为小数点的是德国数学家克拉维斯。

8.

（1）长颈鹿现在能上桥吗？

（2）棕熊现在能上桥吗？斑马可以和它一起上桥吗？

（3）你还能提出其他数学问题并解答吗？

9. 3 个城市城镇居民人均住房使用面积如下表。你能提出哪些问题？你会解答提出的问题吗？

城市	A	B	C
面积 / 平方米	14.6	16.7	17.6

10. 按规律接着往下写。

（1）1.1，1.2，1.3，1.4，1.5，（　　），（　　），（　　）。

（2）0.6，1.2，1.8，2.4，3.0，（　　），（　　），（　　）。

11. 小新从家到学校要走 1.2 千米。他走了 0.3 千米后又回家取了一本书，这样他比平时上学要多走多少千米？

本单元结束了，你想说些什么？

成长小档案

★★★★
★★★

列竖式计算小数加减法，小数点要对齐哦！
生活中小数的应用真多呀！

8 数学广角——搭配(二)

1 用 0、1、3、5 能组成多少个没有重复数字的两位数?

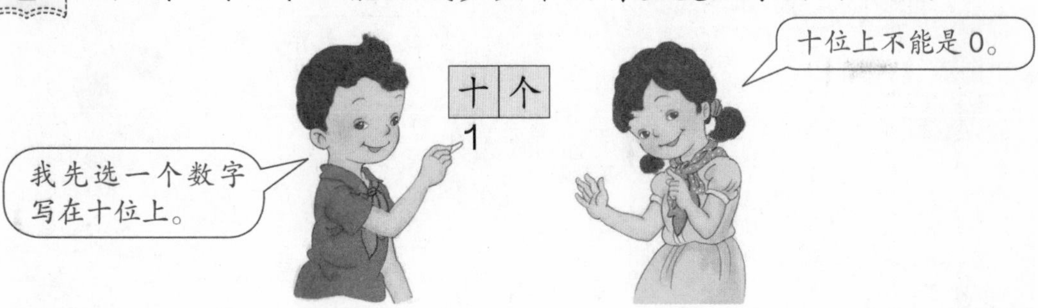

十位上不能是 0。
我先选一个数字写在十位上。
十 个
1

把十位是 1 的两位数写完，十位上再换一个数字……
这样按顺序写，就能不重不漏。
十 个
1 0
1 3
1 5
3 0

你是怎样写的?

能组成□个没有重复数字的两位数。

做一做

1. 用 0、2、4、6 可以组成多少个没有重复数字的两位数?

2. 把 5 块巧克力全部分给小丽、小明、小红，每人至少分 1 块。有多少种分法?

2
一共有多少种穿法？
每次上装和下装只能各穿1件。
我用○表示上装，□表示下装。
我用A表示上装，B表示下装。
A1 A2
B1 B2 B3
每件上装可以与3件下装搭配，这样就有3种穿法……
每条连线表示1种穿法。
A1 A2
B1 B2 B3
一共有□种穿法。
做一做
1. 拉动纸条，看看可以组成哪些两位数，记录下来。
3
2 6
4 8
9
2. 下面的早餐有多少种不同的搭配？
饮料和点心只能各选1种。
豆浆
牛奶
蛋糕
油条
饼干
面包

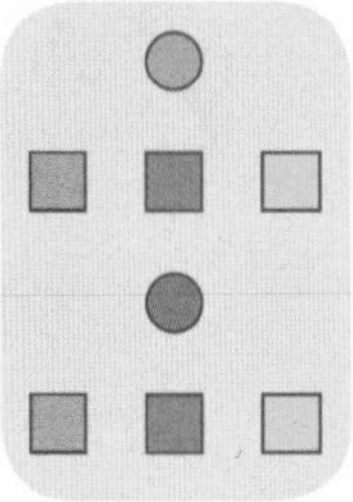

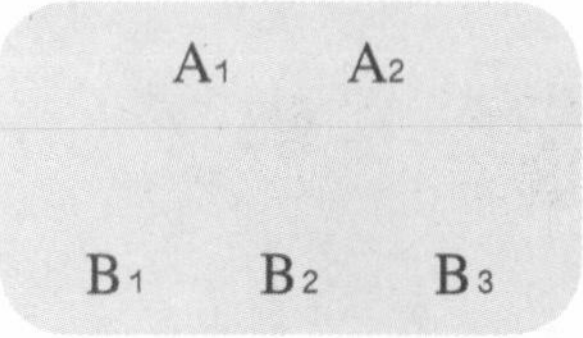

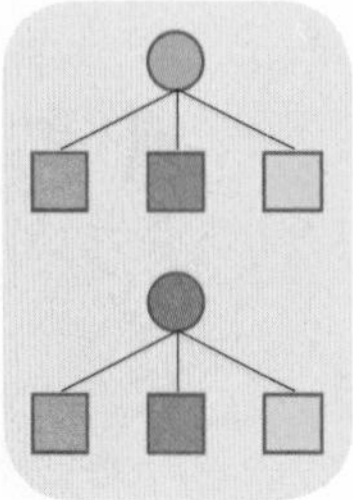

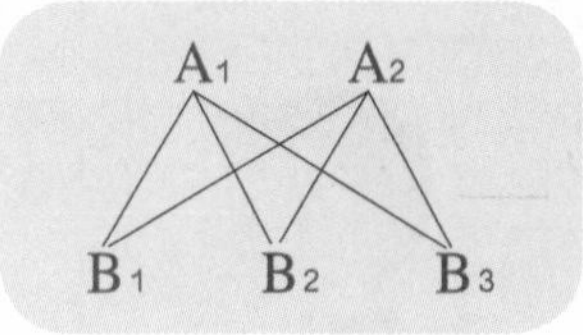

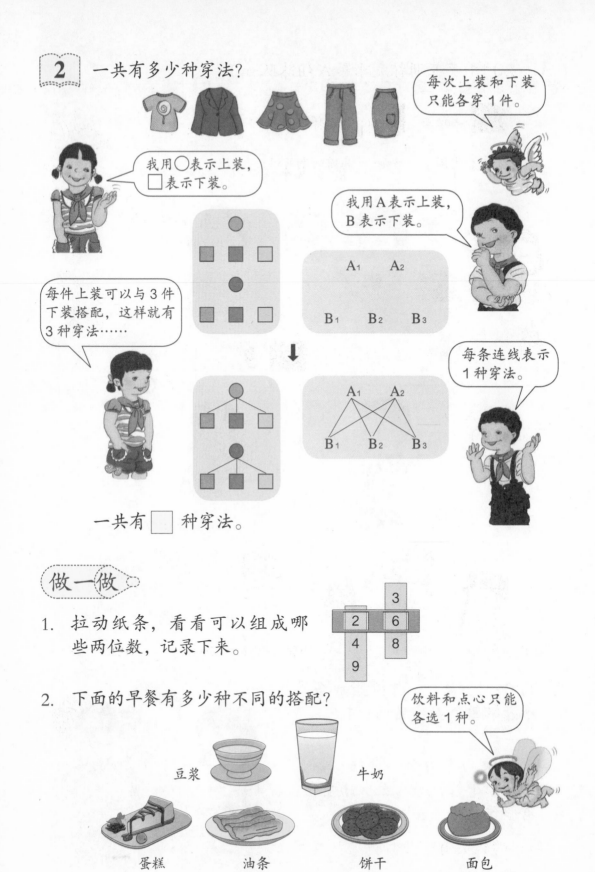

3 2011 年亚洲杯足球赛 A 组球队如下。

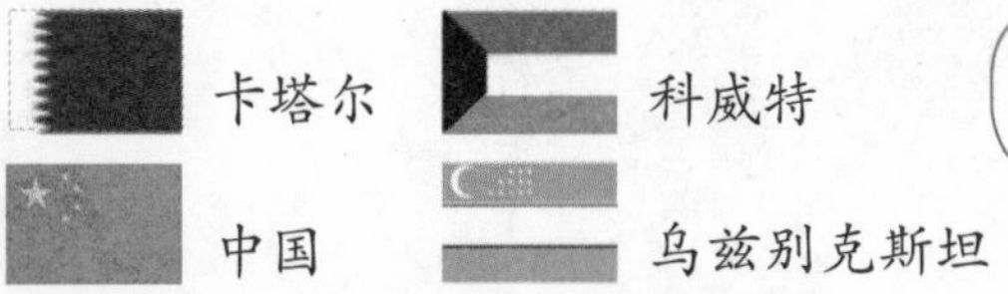

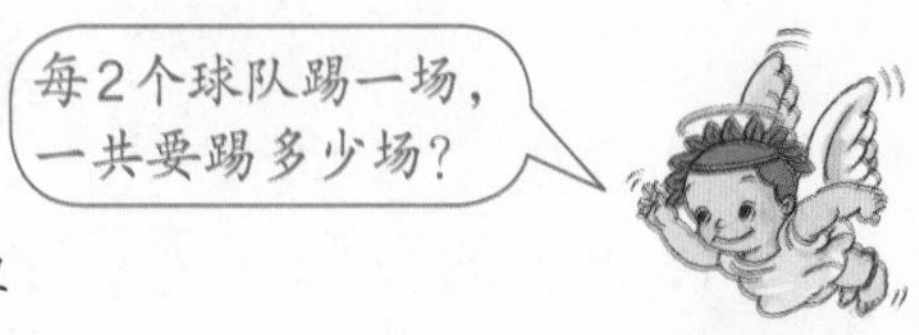

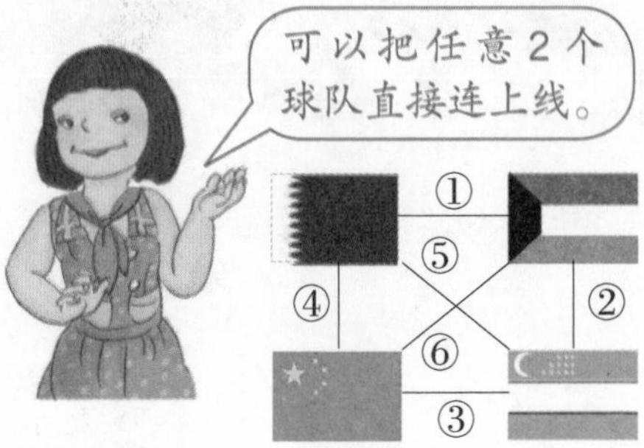

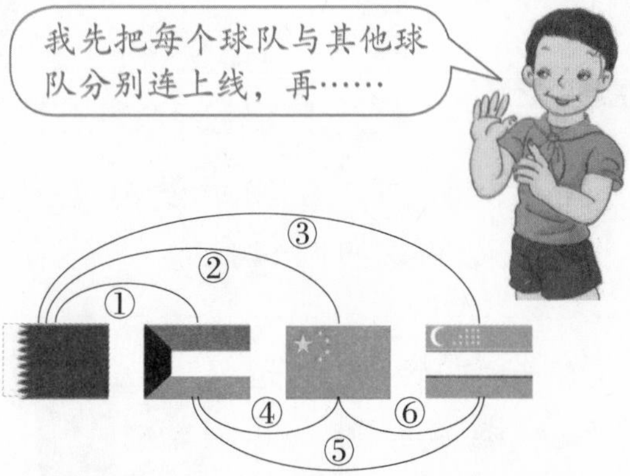

一共要踢□场。

做一做

1. 下面 5 个人每 2 个人通一次电话，一共要通多少次电话？

2. 每次取 2 个。

取出的钱共有哪几种情况？请写出来。

练习二十二

1. 唐僧师徒4人坐在椅子上。如果唐僧的位置不变，其他人可以任意换位置，一共有多少种坐法？

2. 用2、5、7、9组成没有重复数字的两位数，能组成多少个个位是单数的两位数？

3. 右面4个分类垃圾桶摆成一排，其中“其它垃圾”桶不能摆在最左边，这样的摆法一共有多少种？

4.

一共要拍多少张照片？

5. 右图中一共有多少个长方形？

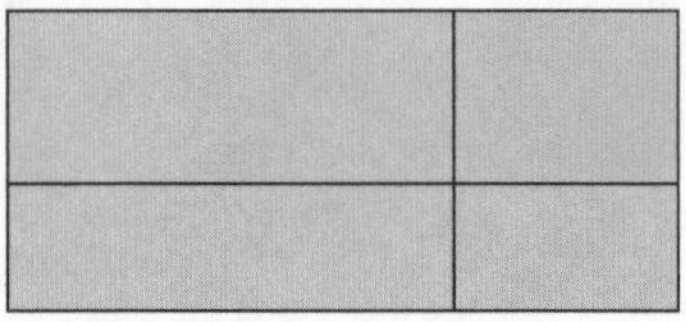

6. 从鸟岛到狮虎山，共有多少条路线？

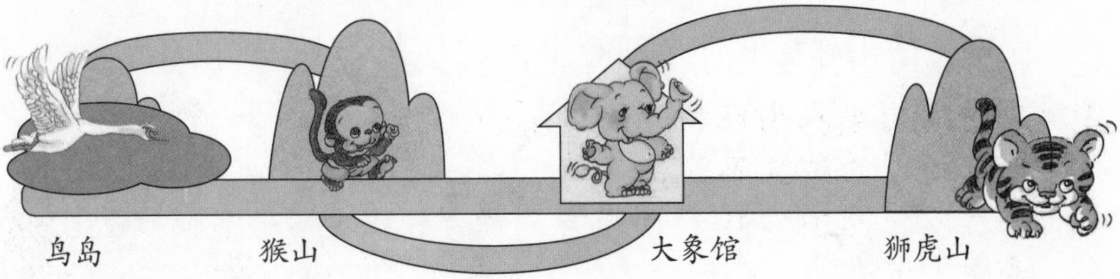

7. 甲、乙、丙、丁 4 个人参加乒乓球小组赛，每 2 个人比赛一场，一共要比赛多少场？

8.

（1）小明想从中任选 2 本，共有多少种选法？

（2）小明想选《数学家的故事》和 1 本其他的书，共有多少种选法？他把选出的 2 本书分别送给小红和小丽，共有多少种送法？

9. 按下面的要求，用5、0、7和6这几个数字写出没有重复数字的小数。

（1）小于1而小数部分是三位的小数。

（2）大于7而小数部分是三位的小数。

10.* 从 100 到 300 的数中，有多少个十位和个位相同的数？

本单元结束了，你想说些什么？

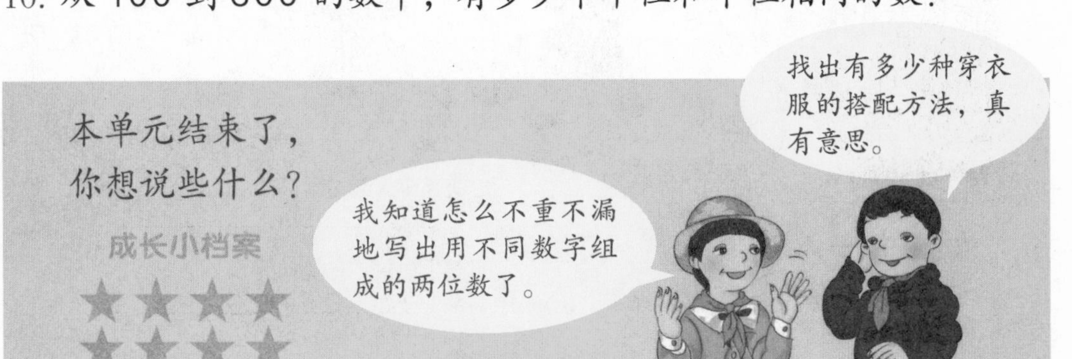

成长小档案
找出有多少种穿衣服的搭配方法，真有意思。
我知道怎么不重不漏地写出用不同数字组成的两位数了。

我们的校园

校园里每天都会有许多问题要用数学来解决。

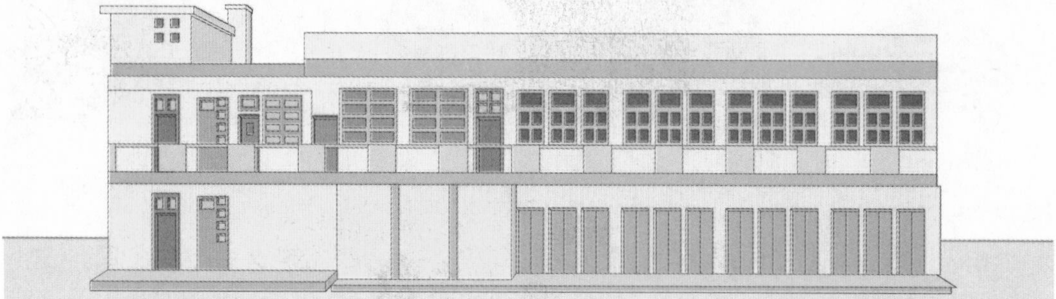

名称	价格（元 / m^2）
白三叶	2
高羊茅	3
天堂草	4

如果只有 3000 元的费用，请你们提出换草皮的建议。
东西两块草坪铺不同的草更有趣。
有多少种不同的铺法？算一算各要多少钱。
全部铺每平方米 2 元的白三叶最省钱。
你们组有什么建议？

本周五下午课外活动时间，在东、西草坪举行三年级拔河比赛，请同学们去加油助威！

请你们帮体育老师设计一份赛程安排。

比赛安排在 15：00～16：30之间进行。

比赛地点是在东西两块草坪。

每场比赛要用 20 分钟，准备 10 分钟。

三年级有 4 个班，先分组比赛，胜者再进行决赛。

我们组用表格的形式通知比赛的时间和地点。

真清楚啊！

对阵	时间	地点
A 组：三（1）—三（2）	15：10~15：30	东草坪
B 组：三（3）—三（4）	15：10~15：30	西草坪
A 组胜者—B 组胜者	15：40~16：00	东草坪
颁奖	16：10~16：20	西草坪

你还有其他的方法吗？

9 总复习

成长小档案

这学期学习有什么收获？

图书种类 人数 性别	儿童文学类	科普类	动漫类	其他
男生				
女生				

我学会了除数是一位数的除法……

$$\begin{array}{r} 206 \\ 3\overline{)618} \\ \underline{6} \\ 18 \\ \underline{18} \\ 0 \end{array}$$

长方形的面积＝长 × 宽

学习中最有趣的事情是什么？

我知道为什么小明 12 岁才过了 3 个生日，真有意思！
安排拔河比赛赛程的活动很有趣！

1. 下面是一幅社区示意图。

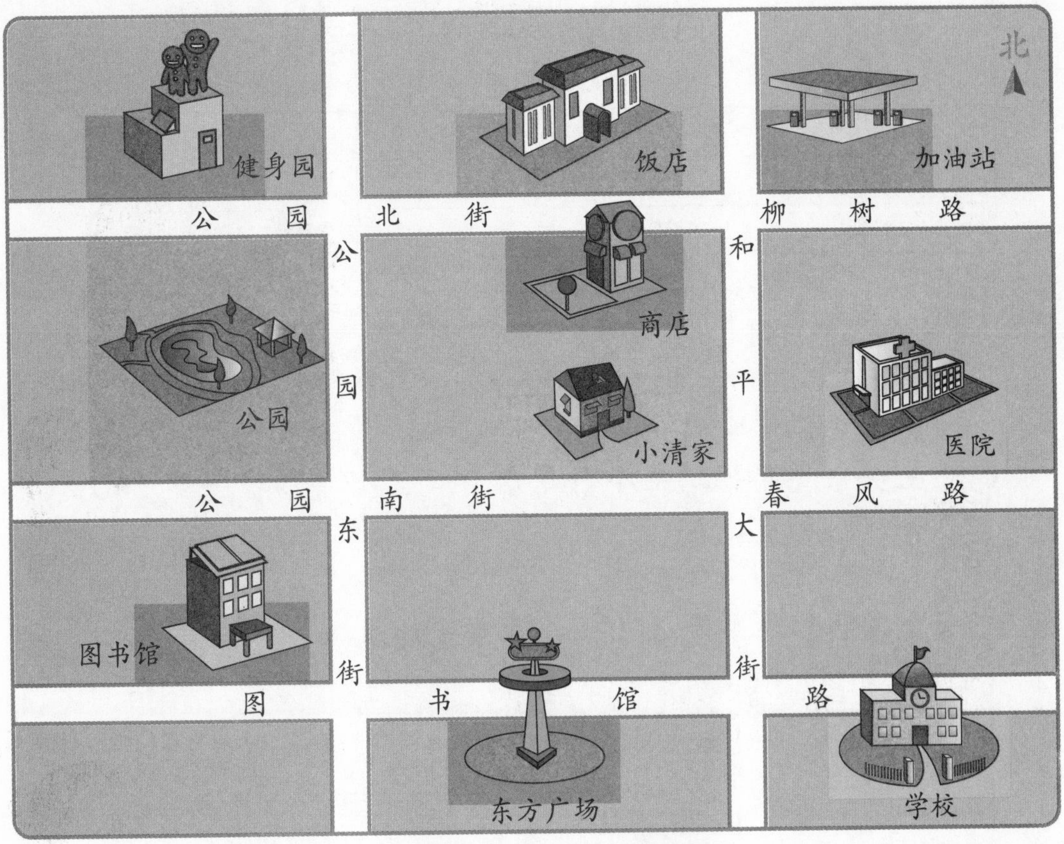

（1）按方位说一说，小清家的周围有什么。

小清家的西面有公园。
学校在小清家的东南方。

（2）图书馆的开馆时间如图，一天共开放（　　）小时。

开馆时间
8:30 — 16:30

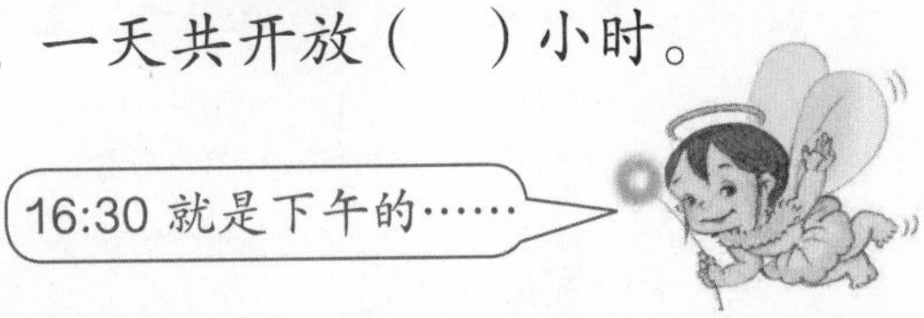

16:30 就是下午的……

（3）健身园是长 85 米、宽 66 米的长方形。占地多少平方米？

85×66=□（平方米）

计算两位数乘两位数要注意什么？

（4）找一张公园的示意图，同桌互相说一说公园设施的位置。

2. 3个家庭半年用电情况如下表。

单位：千瓦时

	半年用电总量	平均每月用电量（估计）	平均每月用电量（计算）
王芳	408		
张涛	546		
赵军	630		

计算除数是一位数的除法要注意什么？

（1）将上表填写完整。

（2）王芳家去年平均每个月用水9吨，全年水费一共540元。每吨水多少钱？

3. 下面是李明和陈东最近四年的体重统计表。

年龄/岁 体重/千克 姓名	7	8	9	10
李明	22.7	24.6	27.5	29.8
陈东	23.5	24.4	27.1	28.8

（1）李明从7岁到10岁，体重增加了多少千克？

（2）李明的体重哪一年比上一年增加得最多？增加了多少？

（3）你还能提出其他数学问题并解答吗？

先照描右面的图形，剪下来。然后沿虚线剪开，把所剪的几个图形拼成一个正方形。

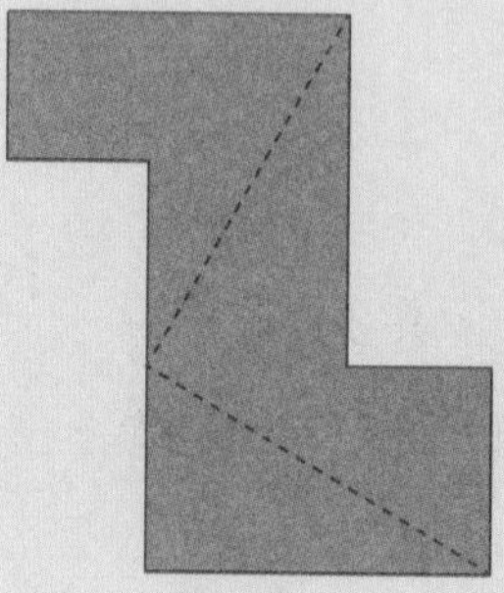

练习二十三

1. 口算。

30×50=	210÷7=	440−70=	180+50=
39÷3=	240×4=	260+500=	300−40=
25+7=	84−65=	450÷5=	17×4=
41−6=	59+34=	14×50=	84÷4=

2. 计算。

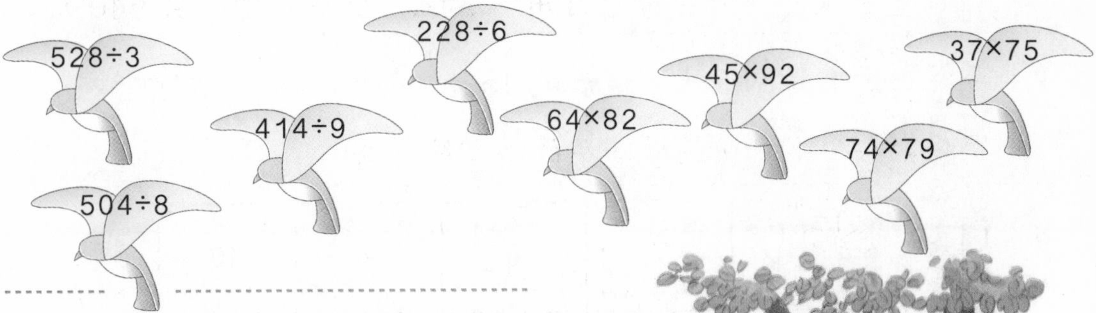

3. 一只山雀一个星期（7 天）吃掉了 665 只害虫，平均每天吃掉多少只？

4. 一个单位有 620 人到温泉山庄度假。1 辆大客车能载客 58 人，11 辆大客车能一次送走这些人吗？

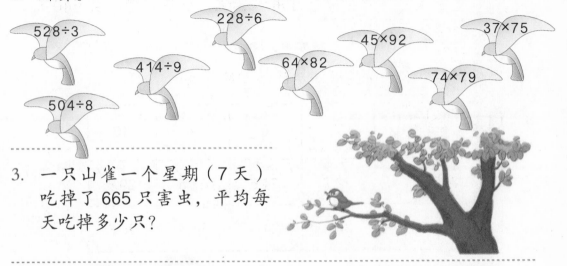

5.* 在下面的（ ）里，最大能填几？

（ ）×19<600　　69×（ ）<5600

6. 先估计一下自己家的床面、电视机屏幕、房间地面的大小，再测量并计算。

物体名称	面积（估计）	长	宽	面积（计算）
床　面				
电视机屏幕				
房间地面				

7. 一个正方形的养鱼池，边长是 15 米。它的水面是多少平方米？周长是多少米？

8. （1）3 年 =（ ）个月　　24 个月 =（ ）年

（2）7 月有（ ）天；15 时是下午（ ）时。

（3）小华每天早上 7 时 30 分到校，11 时 50 分放学回家；下午 2 时到校，16 时放学回家。他全天在校（ ）小时（ ）分。

9.

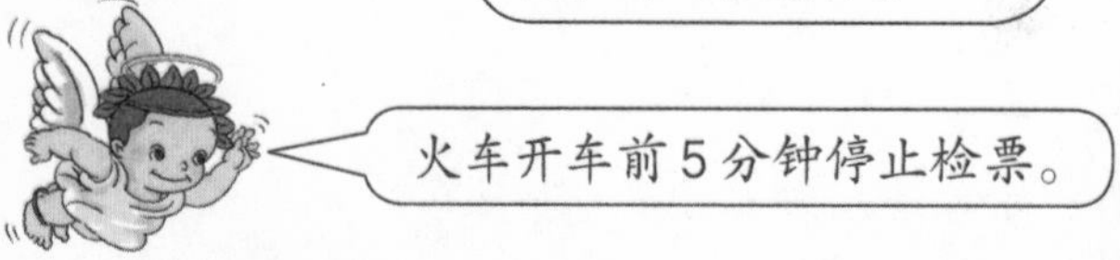

美术老师假期去写生，要乘坐 17:00 开往长沙的火车。他从家到火车站乘公共汽车需要 30 分钟，从进站到通过检票口需要 10 分钟。他最迟什么时候必须从家出发？

10. 写出箭头所指的小数。

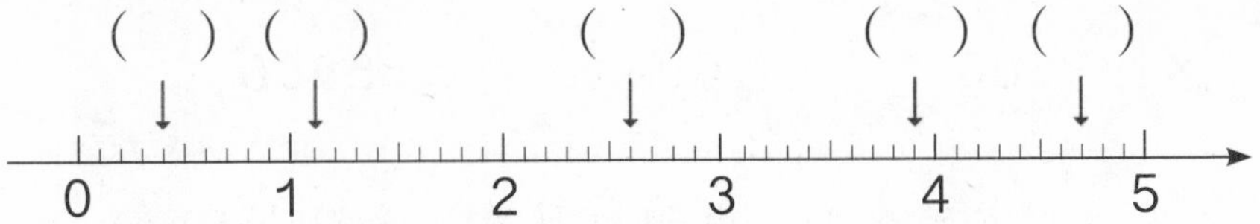

11. 1.4−0.8　　7.8+0.5　　3.8−1.9

6+0.6　　5.3−1.7　　4.6+2.7

12.

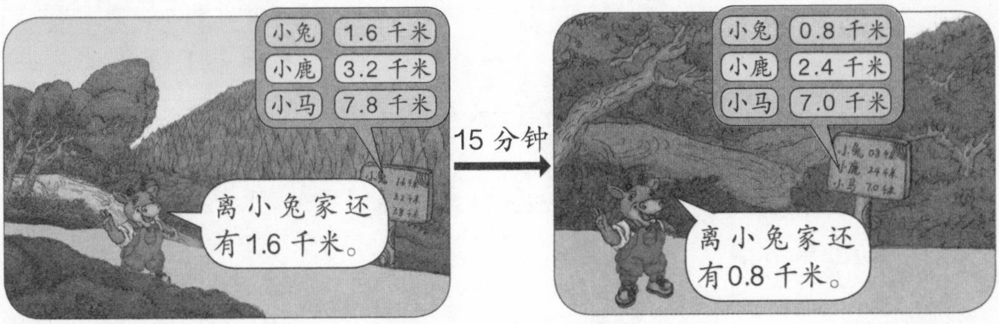

（1）小牛 15 分钟走了多远？

（2）小兔家和小鹿家相距多远？

（3）你还能提出其他数学问题并解答吗？

13. 你参加过几次学校组织的体检？视力怎样？请你选择三年级和五年级各一个班，填写统计表。

视力 / 人数 / 班级	5.0 以上	4.9~4.7	4.6~4.3	4.2 以下
三年级（　）班				
五年级（　）班				

（1）视力 5.0 以上的，三年级有（　　）人，五年级有（　　）人。

（2）视力 4.2 以下的，三年级有（　　）人，五年级有（　　）人。

（3）5.0 的视力是正常的，低于 5.0 的三年级有（　　）人，五年级有（　　）人。你想对这些同学说什么？

14. 豆腐店有 10 袋黄豆，每袋 50 千克。1 千克黄豆能做 4 千克豆腐。这些黄豆能做多少千克豆腐？

15. 库房里有 48 台冰箱，一辆货车一次送 4 台，每天送 2 次。这些冰箱多少天能够送完？

16. 2010 年世界男篮锦标赛小组赛共分 4 个组，每组 6 个队。一共有 288 名运动员参加比赛，每个队有多少名运动员？

17. 5 箱蜜蜂一年可以酿 375 千克蜂蜜。照这样计算，24 箱蜜蜂一年可以酿多少蜂蜜？

用一个杯子向一个空瓶里倒水。如果倒进 3 杯水，连瓶共重 440 克。如果倒进 5 杯水，连瓶共重 600 克。

想一想：一杯水和一个空瓶各重多少？

自我评价

同学们，这学期要结束了，给自己的表现画上小红花吧！

学习表现			
喜欢学习数学			
愿意参加数学活动			
上课专心听讲			
积极思考老师提出的问题			
主动举手发言			
喜欢发现数学问题			
愿意和同学讨论学习中的问题			
敢于把自己的想法讲给同学听			
认真完成作业			

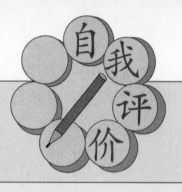

你觉得你还应该在哪些方面更努力些？

后 记

本册教科书是人民教育出版社课程教材研究所小学数学课程教材研究开发中心依据教育部《义务教育数学课程标准》（2011年版）编写的，经国家基础教育课程教材专家工作委员会2013年审查通过。

本册教科书集中反映了基础教育教科书研究与实验的成果，凝聚了参与课改实验的教育专家、学科专家、教研人员以及一线教师的集体智慧。我们感谢所有对教科书的编写、出版提供过帮助与支持的同仁和社会各界朋友，以及整体设计艺术指导吕敬人等。

本册教科书出版之前，我们通过多种渠道与教科书选用作品（包括照片、画作）的作者进行了联系，得到了他们的大力支持。对此，我们表示衷心的感谢！但仍有部分作者未能取得联系，恳请入选作品的作者与我们联系，以便支付稿酬。

我们真诚地希望广大教师、学生及家长在使用本册教科书的过程中提出宝贵意见，并将这些意见和建议及时反馈给我们。让我们携起手来，共同完成义务教育教材建设工作！

联系方式
电话：010-58758309
电子邮件：jcfk@pep.com.cn

人民教育出版社 课程教材研究所
小学数学课程教材研究开发中心
2013年5月